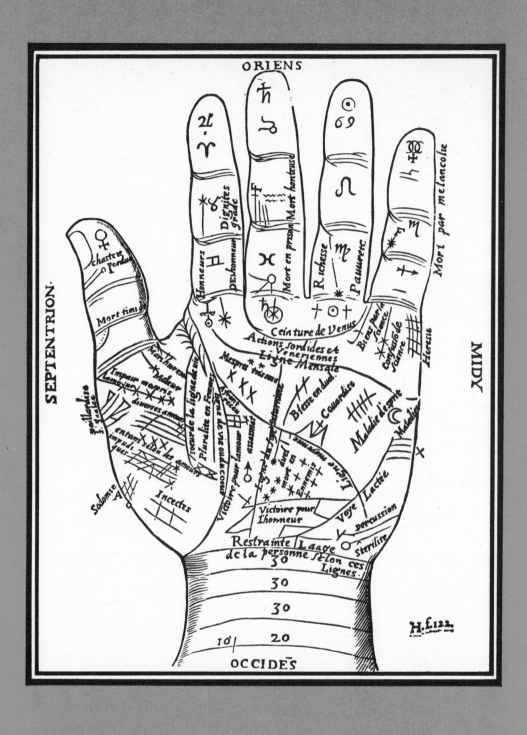

LES LIGNES
DE LA
MAIN

Francis King

Traduit et adapté de l'anglais
par **Paul-Henry CARLIER**

FERNAND NATHAN

L'édition originale de cet ouvrage a paru
sous le titre : Palmistry, your fate and fortune in your hand
chez Orbis Publishing, Londres.

Produit en 1979, par Orbis Publishing Limited, Londres
© Istituto Geografico de Agostini, Novara
Texte français : © Editions Fernand Nathan, S.A., Paris, 1981
Photocomposition : Ateliers Typographiques, 57, rue Lasègue, 92320 Châtillon - France

Numéro d'éditeur : V-29243
ISBN 2 09 295 502 0

Imprimé en Italie par IGDA, Novara
d'ordre de Orbis Publishing, Londres
pour les Editions Fernand Nathan, Paris

Pierrette Rondeau

Sommaire

Origine des illustrations

Toutes les illustrations ont le copyright Orbis, à l'exception des suivantes :
Pages de garde : Ann Ronan Picture Library · 6 : Ann Ronan Picture Library and E.P. Goldschmidt &
Co · 10-11 : Fred Gettings · 12-13 : Fred Gettings · 14 : Bodleian Library, Oxford · 17 : Bodleian Library,
Oxford · 25 : Bodleian Library, Oxford · 27 : Bodleian Library, Oxford ; FOT Library · 29 : Ann Ronan Library
and E.P. Goldschmidt & Co · 30 : FOT Library · 32 : Fred Gettings · 33 : FOT Library · 34 : FOT Library · 35 :
Fred Gettings · 41 : FOT Library · 42-47 : Fred Gettings · 52-53 : Ann Ronan Picture Library · 55 : Bodleian
Library Oxford · 57 : Ann Ronan Picture Library and E.P. Goldschmidt & Co · 63 : Bodleian
Library, Oxford · 70 : Ann Ronan Picture Library · 74 : Bodleian Library, Oxford · 76 : Michael
Holford · 77-85 : FOT Library · 86 : Gulbenkian Museum, Durham.

1
La chiromancie : science prophétique ?

Louis Hamon, le chiromancien mondain, plus connu de sa clientèle nombreuse et fortunée sous le nom de Cheiro.

Avant d'aborder la chiromancie moderne, voyons plutôt les découvertes récentes qui vont dans le sens de cet art si ancien.

Pour le psychologue allemand Julius Spier, qui réunit, classa, étudia des milliers d'empreintes de mains, la chiromancie montrait avec précision les "dispositions vraies" du sujet. De plus, selon lui, les mains des enfants révélaient exactement les problèmes psychologiques qui les guettaient : ainsi put-il prévenir les maladies mentales qui menaçaient ses jeunes patients. Spier n'était pas un fantaisiste : son unique ouvrage, *Les Mains des enfants*, reçut la caution d'une introduction de C.J. Jung, peut-être le plus grand psychologue de ce siècle.

Témoin de l'intérêt que lui porte la science actuelle, le développement de la "dermatoglyphie". Ses praticiens ont trouvé une corrélation étroite entre les lignes anormales de la mains et les tares physiques innées, dont les faiblesses cardiaques et les anomalies chromosomiques, apparaissant dans la "ligne simienne", là où les lignes de cœur et de tête se rejoignent (voir p. 19). La tradition voulait que la ligne simienne — ainsi nommée parce qu'assez courante chez les grands singes — fût un signe de dégénérescence. Les travaux récents de médecins new-yorkais ont démontré qu'on la retrouve souvent chez les enfants mongoliens ou dont la mère avait contracté la rubéole pendant la grossesse.

Une ligne simienne n'implique pas à tout coup dégénérescence, mongolisme ou malformation congénitale : simplement, l'un des dogmes au moins de la chiromancie classique est confirmé par les découvertes de la médecine moderne.

Seize mois plus tard, Marshall Hall se présenta aux élections générales à Southport, représentant le parti conservateur. Le dépouillement du scrutin s'acheva dans la nuit à l'hôtel de ville. Marschall Hall fut élu avec deux cent neuf voix de majorité. Avant l'annonce des résultats à la foule impatiente, le porte-parole officiel émit une requête : la tradition voulait que l'épouse ou une admiratrice du vainqueur, devançant la déclaration officielle, agitât un mouchoir rouge ou bleu du haut du balcon de l'hôtel de ville ; il souhaitait que cette ancienne coutume fût abandonnée.

Marshall Hall, accompagné de sa femme et de quelques partisans, apparut au balcon. L'avocat vit à ses pieds la foule qui l'acclamait, les visages blancs sous la lumière intense, et, derrière, les arbres illuminés par les lanternes aux multiples couleurs. "Où donc ai-je déjà vu cela ?", se demandait-il, quand lui revint la prédiction de Cheiro. Alors, se tournant vers sa femme, qui avait pris à la lettre la demande du porte-parole, il la vit agiter un mouchoir *blanc*. La vision de Cheiro se réalisait point par point.

Ce ne fut pas, loin de là, la seule prédiction faite par Cheiro avec une précision presque incroyable. Des hommes et des femmes d'une honnêteté sans faille confirmèrent que Cheiro avait prédit, par exemple, la date exacte de la mort de la reine Victoria et du roi Edouard VII. En fait, la liste des événements qu'il semble avoir prévus avec exactitude est presque interminable.

Mais, bien sûr, la chiromancie remonte loin avant Cheiro. On en parle dans des manuscrits indiens d'il y a trois mille ans et dans des écrits chinois de la même époque. On y fait même allusion dans l'Ancien Testament : un verset du Livre de Job énonce que Dieu "scelle la main de tout homme" et que "tous les hommes peuvent connaître leur lot".

La chiromancie figure également, aux côtés de l'astrologie, dans les manuscrits médiévaux d'Europe occidentale. Certains de ceux-ci relatent comment, selon la légende, la chiromancie toucha l'Europe. Aristote découvrit en Égypte, sur un autel dédié à Hermès, un traité de chiromancie et en fit don à Alexandre le Grand. Sans accréditer cette version, on peut admettre que cette pratique, venue d'Asie, gagna l'Occident par la Grèce antique.

Le soir même, tout à fait par hasard, Marshall Hall rencontra Cheiro à son hôtel. Il le félicita de ses qualités de témoin et prit rendez-vous pour une consultation professionnelle — sans doute pour vérifier par lui-même les aptitudes dont Cheiro s'était vanté devant la Cour. Hall prit note des prophéties de Cheiro :

"La main gauche, qui dénote les caractères hérités, ne montre pas, et de loin, les mêmes promesses que la droite, qui indique le développement de l'individu. Considérez, dès lors, que, par vos efforts et votre détermination, vous avez vous-même orienté votre carrière et que vous devez apparaître comme le seul membre réellement éminent de votre famille. Le début de la ligne de destinée, si incertaine à sa naissance, près du poignet, révèle que, dans votre jeunesse, vous ne saviez trop quelle carrière embrasser... Il n'y a pas trace de succès jusqu'à... votre vingt-cinquième année... à partir de... vos trente ans et jusqu'à la fin de votre vie, la réussite ne fera que croître jusqu'à... faire de vous, quoi qu'il advienne, l'un des hommes les plus éminents de votre profession. Votre ligne de tête indique que vous êtes plus doué pour l'éloquence que pour la logique... Le caractère le moins favorable de votre main concerne le côté affectif de votre personnalité. La ligne de cœur, à la base des doigts, montre que vous serez singulièrement malchanceux dans ce domaine. Vous serez adoré des femmes, mais elles vous apporteront peu de bonheur. Deux mariages sont clairement indiqués : le premier vous fera traverser une épreuve cruelle

qui affectera votre vie entière... Quant à la durée, votre vie restera dans la normale. Vous mourrez en plein travail, à l'apogée de votre carrière."

Chacun des traits de caractère, chacune des prophéties se vérifia tout au long de la carrière de Marshall Hall.

Toutefois, le plus étonnant fut une prédiction, apparemment mineure, faite par Cheiro vers la fin de la consultation. "Je vois quelque chose si nettement que je me sens obligé de vous le dire, affirma-t-il, bien qu'en même temps, cela paraisse si peu important, et tellement improbable, que j'hésite." L'avocat insista et Cheiro poursuivit : "Je vous vois debout au balcon de ce qui semble être une sorte de château, je vois un vaste jardin et de grands arbres qui vous font face. Mais le plus étrange est que le parc paraît illuminé par une très vive lumière électrique ; et les arbres eux-mêmes sont éclairés par des lampes de couleur. Plus étrange encore, des milliers de personnes piétinent les parterres, le regard tourné vers le balcon, pendant qu'apparemment vous essayez de dire quelque chose ou même que vous le dites. Il y a plusieurs personnes sur le balcon, des hommes et des femmes, et les visages, dans la foule, sont blafards sous l'éclairage intense. A votre gau-

che, une femme, beaucoup plus petite que vous, agitant un mouchoir blanc de sa main gauche ; les gens, en bas, crient. Voilà ce que je vois, mais ce que cela signifie me dépasse."

La chiromancie — art de deviner le caractère et la destinée d'une personne d'après les lignes, les signes et la forme de ses mains — a été étudiée depuis des centaines d'années. Portée aux nues ou dénigrée, elle a fait l'objet d'innombrables discussions. Mais elle a rarement figuré au centre d'une action judiciaire. Et pourtant, une affaire de ce genre, non seulement requit l'attention de la Haute Cour de Justice britannique mais conduisit à une série de faits significatifs des capacités de la chiromancie de prédire, avec une précision étonnante, des événements futurs. Il s'agissait d'un procès en diffamation intenté contre le magazine *Society* par une chiromancienne qui se faisait appeler "Satanella".

Society s'était spécialisé dans les potins sur les gens riches, célèbres, honorables ou non — et s'était lourdement trompé. Voici les faits : deux chiromanciens, Mr. et Mrs. Keighley, avaient installé leur officine de diseurs de bonne aventure dans Bond Street, l'une des belles artères londoniennes, sous le nom

Le cabinet de consultation ''indien'' de Cheiro, décoré dans un style exotique reflétant à la fois son goût de l'opulence et son attrait pour le mystère des choses occultes.

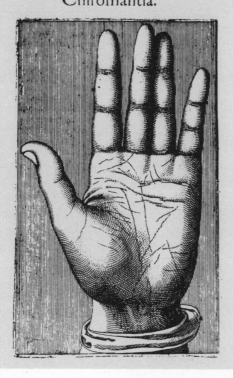

140 TRACT. I SECT. II. PORT. VI. LIB. I.

TRACTATUS PRIMI.
SECTIONIS II.
PORTIO VI.

De Scientia animæ naturalis cum vitali,
seu astrologia chiromantica
seu
Chiromantia.

quelque peu inquiétant de "Saturne et Satanella". Par la suite, mari et femme se brouillèrent, puis se séparèrent. Mrs. Keighley laissa à son mari la pleine jouissance des locaux de Bond Street et partit exercer ailleurs.

Mr. Keighley trouva bientôt une nouvelle associée — une femme de réputation plus qu'équivoque, qui avait été étroitement liée à un homme notoirement connu comme maître-chanteur et mêlé, de plus, à une tentative d'assassinat.

Society eut connaissance du passé de cette femme et publia un article parlant d'elle comme de l'"infâme Satanella". Mrs. Keighley, qui exerçait toujours sous ce nom, poursuivit le journal pour diffamation. Celui-ci, par la bouche de son conseil, Marshall Hall, qui devait devenir l'un des plus brillants avocats qu'ait connu le barreau britannique, plaida que ces termes ne s'appliquaient pas à Mrs. Keighley mais à celle qui lui avait succédé.

L'un des témoins à charge fut le chiromancien mondain Louis Hamon, plus connu sous son pseudonyme de "Cheiro". Cheiro fut un excellent témoin, impavide lors de l'interrogatoire contradictoire approfondi mené par Marshall Hall — et Mrs. Keighley gagna son procès, obtenant £ 1 000 de dommages et intérêts.

La chiromancie, depuis longtemps, fait l'objet de traités savants. Témoins ces pages extraites d'un manuscrit du XVe siècle (à droite) et de *L'Histoire de Deux Mondes* de Robert Fludd, publiée au début du XVIIe siècle (ci-dessus).

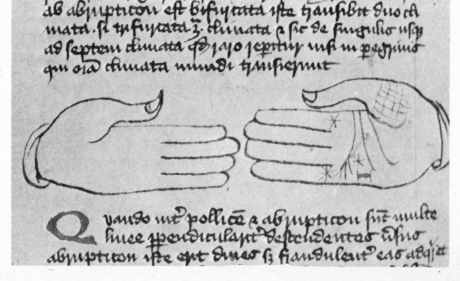

2
La forme de la main

Une erreur commune veut que la chiromancie se limite aux lignes inscrites *sur* la main. Or, la première chose que le chiromancien considère est la *forme générale* des mains du sujet.

Il existe plusieurs manières de classer les formes des mains. Certains praticiens utilisent, par exemple, la classification en quatre types du chiromancien allemand Carl Carus. La classification de Carus commence par la main "élémentaire" — celle, rude, épaisse, du travailleur manuel. Le deuxième type, la main "dynamique", appartient en général aux hommes d'affaires, aux techniciens et aux artisans habiles; elle indique une nature vivante, extravertie, pratique.

La main "sensible", selon Carus, est aussi "nerveuse", mais ni si grande ni si forte que la main dynamique. Elle révèle l'énergie et une nature fortement émotive, la faculté d'adaptation. C'est celle des écrivains, des artistes et de ceux qui s'intéressent avant tout aux problèmes de la création.

Dernière classification de Carus, la main "psychique" — fine, longue, pointue et douce — suppose une personnalité sensible, intuitive, parfois indécise, souvent peu consciente des réalités matérielles de la vie.

Ci-dessous : les quatre types de mains selon la classification proposée par le chiromancien allemand Carl Carus :
la "main élémentaire" (1),
la "main dynamique" (3),
la "main sensible" (2)
et la "main psychique" (4).

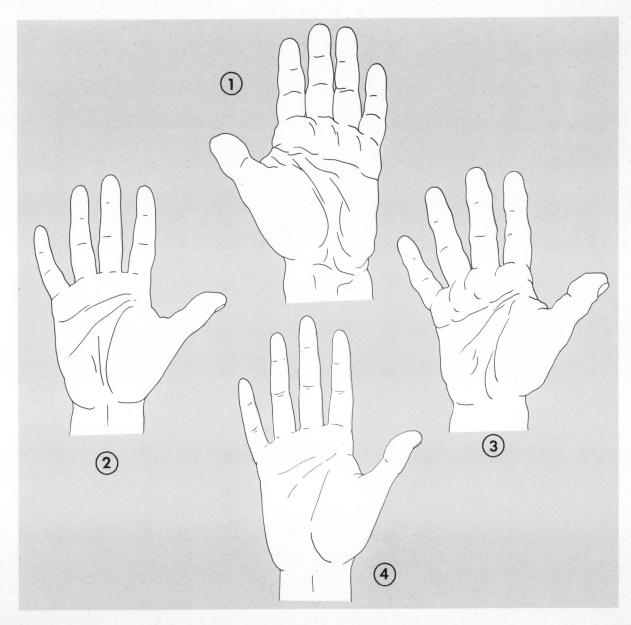

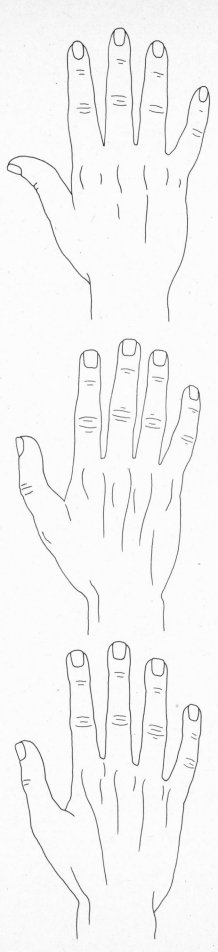

La classification en sept types, plus complexe, date du XIXᵉ siècle. On la doit au chiromancien français Casimir d'Arpentigny. Cheiro l'adopta et elle est toujours en usage aujourd'hui.
Les sept types de mains sont donc :
   I La main élémentaire.
  II La main carrée, dite parfois main "utile" ou "pratique".
 III La main spatulée, ou main "nerveuse", "active".
 IV La main philosophique, ou main "noueuse".
  V La main conique, artistique.
 VI La main psychique, ou main "idéaliste".
VII La main mixte.

I La main élémentaire

Selon d'Arpentigny et ses disciples, cette main lourde, à la paume vaste, aux doigts courts, représente le type inférieur de l'humanité — passionné, colérique, destructeur. Cheiro en parlait en termes mordants : "Ce sont des gens sans aspirations qui ne font que manger, boire, dormir et mourir."

II La main carrée

Elle indiquerait une nature logique, pratique, des habitudes ordonnées et une belle ténacité. Au passif, leurs possesseurs feraient facilement preuve d'un excès de scepticisme et manqueraient tant d'imagination que d'originalité.

III La main spatulée

Quelque peu noueuse, cette main présente des doigts dont les extrémités sont larges et carrées — semblables en cela à la spatule des cuisiniers et des pharmaciens. Ce type de main peut être soit extrêmement ferme, soit doux et mou. Le premier cas révèlerait une nature excitable, débordante d'énergie et d'enthousiasme mais manquant parfois de résistance. Le deuxième cas indiquerait une personnalité insatisfaite et un comportement désordonné.

IV La main philosophique

Heron Allen, l'un des disciples les plus dévoués de d'Arpentigny, a écrit : "Les grandes caractéristiques indiquées par ce type de main sont l'analyse, la méditation, la philosophie, la déduction (...) la recherche et l'amour de la vérité abstraite et absolue (...) [Leurs possesseurs] sont justes (se fondant sur un sens intuitif de la justice et sur un instinct moral plein de discernement), non superstitieux, ardents défenseurs des libertés sociales et religieuses et modérés dans leurs plaisirs..."

V La main conique

Ce type de main se divise en trois catégories :
(a) La main souple présentant un pouce assez court et une paume de taille moyenne. Son possesseur, selon d'Arpentigny, est toujours tourné vers l'art et la beauté.
(b) Une main épaisse, courte, longue, au pouce relativement long. Ceux qui présentent ce type de main seraient avides de richesses, de confort et de gloire.

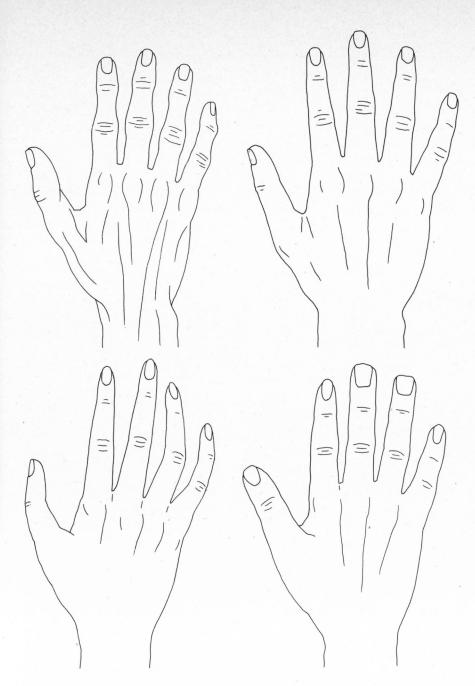

Les sept types de mains selon la classification de d'Arpentigny. Page précédente, de haut en bas : la main élémentaire, la main carrée et la main spatulée. Ci-contre : la main philosophique (en haut, à gauche), la main conique (en haut, à droite), la main psychique (en bas, à gauche) et la main ''mixte'' (en bas, à droite).

(c) Une main longue et très ferme, dont la paume est très développée. C'est le signe, souvent, d'une sensualité débridée.
Ces trois types sont révélateurs d'une personnalité qui préfère la beauté à l'utilité, le plaisir au travail et l'imagination à la réflexion.

VI La main psychique
Cheiro en fait la main la plus merveilleuse mais la plus malheureuse aussi. Elle appartient aux idéalistes, aux rêveurs névrotiques guidés seulement par leur idéalisme.

VII La main mixte
Peu de gens, pratiquement, présentent des mains dont les formes répondent strictement à l'une des six catégories ci-dessus. Ils possèdent une main ''mixte'' qui combine les caractéristiques de deux, trois ou même plus des types de base. C'est l'inconvénient du système de d'Arpentigny. Dès lors, nombre de chiromanciens contemporains, dont Fred Gettings, ont adopté une classification en quatre types fondée sur les ''éléments'' astrologiques : la Terre, l'Air, le Feu et l'Eau. Elle date des XVIe et XVIIe siècles.

Les mains ''élémentaires''
Fred Gettings a excellemment décrit les types psychologiques révélés par ces mains.

''La main d'Eau relevait d'une nature flegmatique, très sensible, facilement influençable. La main d'Air était d'un caractère sanguin, plein d'espoir, confiant et intellectuel. La

La forme de la main

Le premier des quatre types de mains selon la classification adoptée par Fred Gettings : la ''main de Terre''. C'est une main pratique, à la paume carrée, aux doigts courts et forts, qui comporte des lignes bien marquées mais relativement peu nombreuses.

main de Feu révélait un tempérament colérique, passionné, actif, chaleureux et intuitif. La main de Terre indiquait un penchant à la mélancolie, une nature pratique, ténébreuse, et portée à l'expression rythmique. Les deux premières sont considérées comme essentiellement "féminines", les deux dernières comme "masculines". Ainsi, une femme présentant une main d'Eau devrait être particulièrement féminine, d'un type d'Eau très marqué, tandis qu'un homme possédant une main d'Eau devrait avoir des traits de carac-

tère féminins accusés mais non manifester les caractères d'Eau aussi intensément que la femme. La description de ces quatre types offre un réel intérêt pour les rapports entre la main et le caractère.''
La main de Terre se caractérise par sa structure lourde, sa paume carrée, ses doigts courts, la profondeur et la fermeté des lignes — souvent peu nombreuses — inscrites sur la paume. Parfois appelée ''main pratique'', c'est celle de personnes habituellement honnêtes, tournées vers l'effort et le travail, pro-

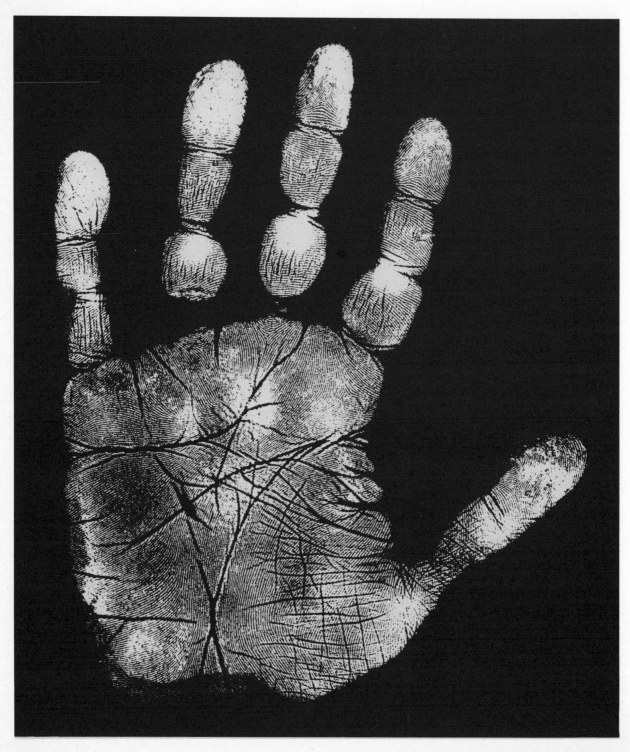

ductrices de choses matérielles — les ouvriers du bâtiment, par exemple. La main de Terre est, bien sûr, puissamment masculine, et, chez la femme, c'est le signe d'un caractère psychologique généralement "viril". Comme pour les autres éléments, il se glisse un aspect plus sombre dans la main de Terre. A côté du flegme apparent, des forces secrètes, destructives, peuvent se déchaîner. La comparaison s'impose : la terre est stable, mais les contraintes qui la travaillent, libérées, déclenchent des séismes.

La main d'Air présente une structure massive, de longs doigts et une paume carrée aux lignes nettement inscrites ; on l'appelle souvent "main intellectuelle".
Ses possesseurs sont généralement mus plus par l'intelligence que par l'émotion — en fait, ils méprisent facilement les activités ou les jugements fondés sur l'intuition ou l'émotion.
C'est une main féminine qui appartient aux femmes engagées dans la création et celles qui la possèdent ont toujours conscience d'un

La "main d'Air" présente, elle aussi, une structure solide, mais les doigts sont plus longs que la main de Terre. De même, les lignes, bien visibles, sont plus fines.

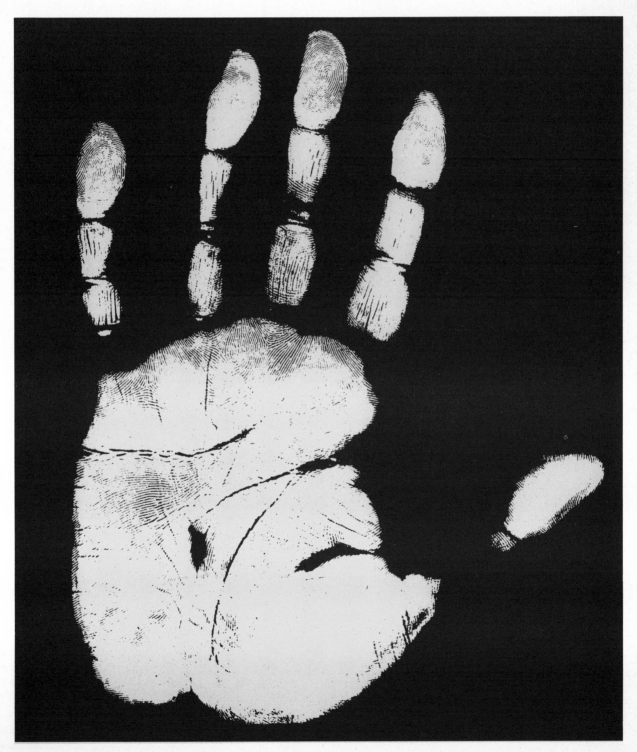

La forme de la main

puissant besoin de communiquer : femmes journalistes, (presse écrite ou radio). Quant aux hommes, leur personnalité comporte un élément féminin accusé.

La main de Feu, ou "main intuitive", possède des doigts courts et une paume oblongue où les lignes sont bien visibles. C'est la main de l'extraverti : la combinaison des doigts courts et de la paume longue indique un manque d'équilibre émotif associé à une tendance à agir et à juger en se basant sur la seule intui-

tion. Extraverti, donc toujours prêt à partir, créateur, inconstant, actif — souvent trop — et en proie à de soudains enthousiasmes et à des aversions tout aussi subites. Cela dénote une nature masculine très typée. Les femmes présenteront, évidemment, un fort élément masculin dans leur constitution psychologique.

La main d'Eau est de structure délicate, les doigts sont longs, comme la paume où s'inscrit un fin réseau de lignes. On l'appelle par-

Comparés à la longueur de la paume oblongue, les doigts de la "main de Feu" sont relativement courts. Les lignes sont nombreuses, certaines assez profondes.

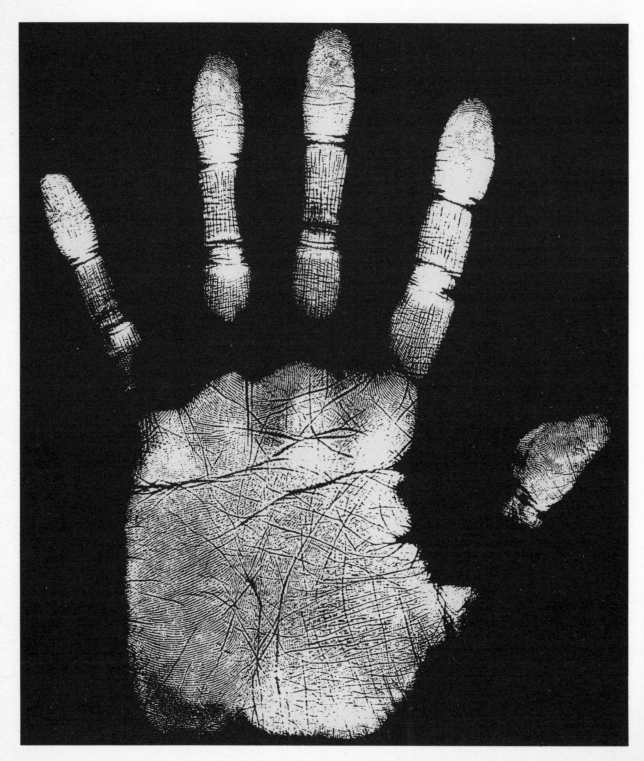

fois "main sensible" et, comme le nom l'indique, ses possesseurs sont sensibles, d'humeur changeante, leur état psychologique s'apparentant assez à l'eau vive, tantôt superficiel, tantôt profond, toujours changeant, jamais absolument constant. Forme avant tout féminine, sa caractéristique est la réceptivité, qualité traditionnellement féminine — le possesseur d'une main d'Eau tend à réfléchir l'environnement immédiat tout comme l'eau renvoie l'image de ce qui la surplombe.

La division en quatre types "élémentaires" trouve sa correspondance en astrologie où les douze signes du zodiaque sont formés en quatre groupes, eux-mêmes reliés aux quatre éléments.

Une autre méthode de classification astrologique des formes des mains repose en partie sur l'aspect et la forme des lignes inscrites dans la paume. Dès lors, avant même de pouvoir en parler, il faut examiner de manière détaillée ce qui concerne les lignes elles-mêmes.

La "main d'Eau" est longue et étroite, la structure est délicate et un réseau de fines lignes couvre la paume. Cette main porte souvent le nom de "main sensible".

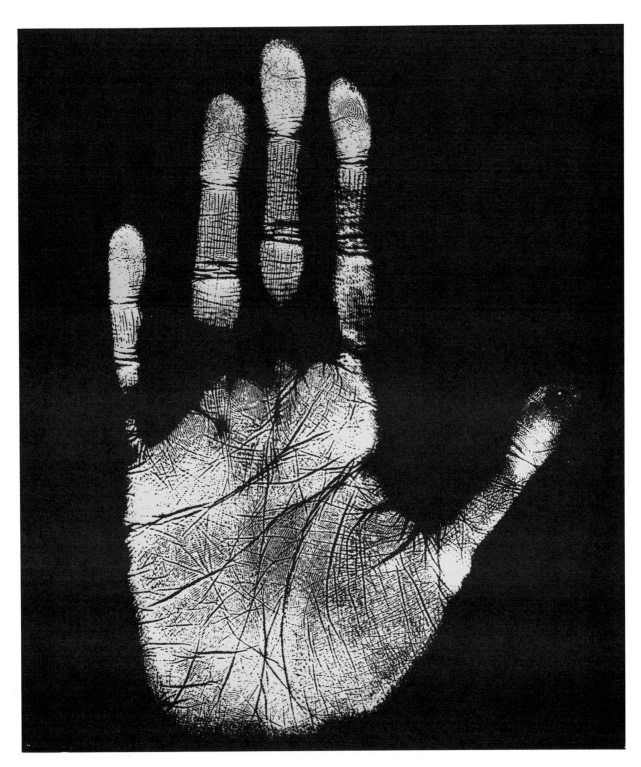

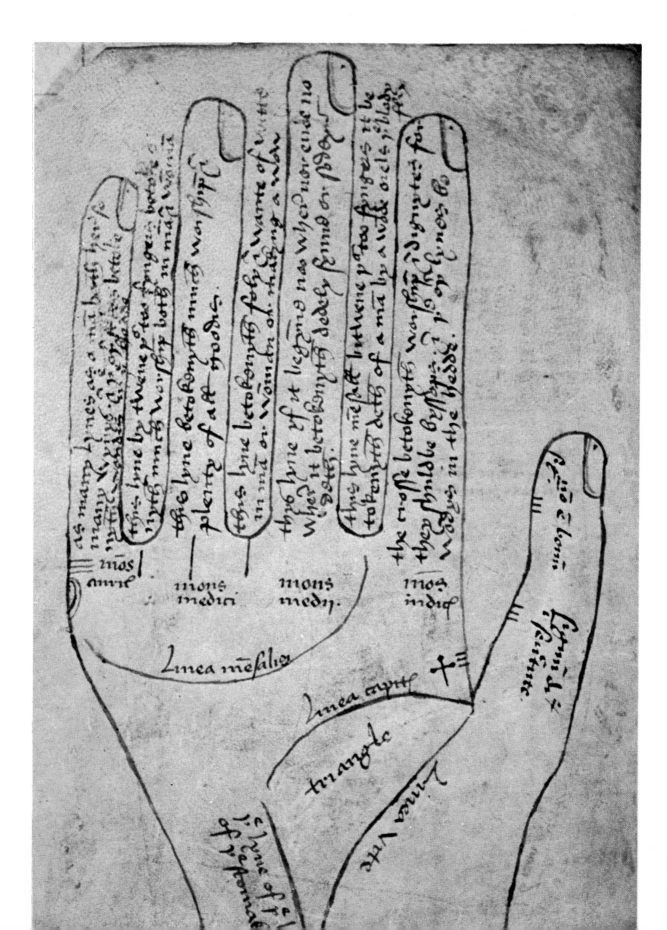

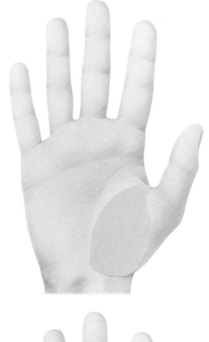

Les zones charnues entourant le centre de la paume s'appellent les "monts". Ceux-ci, les illustrations et leurs légendes le montrent bien, se réfèrent aux sept "planètes" de l'astrologie classique. Ces "planètes" comprennent le Soleil et la Lune, qui ne sont pas, évidemment, des planètes, au sens scientifique ; par souci de simplicité, les astrologues et chiromanciens modernes ont conservé l'appellation. "Planète", étymologiquement, signifie "errant" : vus de la Terre, ces corps se promènent dans les cieux. Notons qu'il existe huit monts : la référence à Mars est double — positive et négative.

La signification des monts se présente comme suit :

A *Le mont de Vénus.* Il est fatal que, se référant à une planète traditionnellement associée à l'amour et à la beauté, un mont de Vénus bien formé indique une nature chaleureuse et sympathique, le désir d'aimer et d'être aimé — tant sexuellement que platoniquement —, un sens aigu de la beauté et une attirance marquée pour les agréments de l'existence. Si le mont est trop développé, c'est généralement l'indication d'une prédominance excessive de ces qualités dans la constitution psychologique : le désir d'admiration et de satisfactions sensuelles est si puissant que la complaisance peut conduire au désastre sur le plan émotif.

B *Le mont de Mars positif.* En astrologie, les vertus martiennes traditionnelles — le courage, la force, la vigueur, la capacité de faire face aux problèmes les plus difficiles — sont associées à la planète Mars ; un mont de Mars bien constitué indique les mêmes forces psychologiques. Trop développé, le mont implique un caractère agressif et querelleur, perpétuellement blessé par les actes et les paroles des autres.

C *Le mont de Jupiter.* En astrologie, Jupiter est une planète bénéfique, porteuse de chance dans tous les horoscopes ; bien orienté, il apporte la réussite matérielle. Un mont de Jupiter bien marqué révèle les mêmes dispositions : chance et réussite. Le sujet qui en dispose devrait occuper un poste de responsabilité qui lui donne une grande influence sur autrui. Hypertrophié, le mont de Jupiter indique la volonté de réussir à tout prix et l'amour du pouvoir pour lui-même.

D *Le mont de Saturne.* Les astrologues estiment qu'un élément saturnien très accusé dans un horoscope dénote un caractère paisible et prudent, plutôt solitaire, auquel la réussite ne sourira qu'à un âge avancé. Proéminent, le mont de Saturne révèle les mêmes qualités ; c'est le signe, aussi, d'un intérêt

Le mont de Vénus, la région de la main associée à l'amour et à la beauté. Trop développée, cette région dénote une tendance à l'égoïsme.

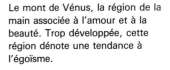

Le mont de Mars positif. Il révèle les qualités martiennes de force et de courage ; trop développé, il indique une personnalité agressive.

Le mont de Jupiter est situé sous l'index. Bien constitué, il indique la chance et la réussite matérielle. Trop développé, il laisse apparaître l'amour du pouvoir pour lui-même.

(Page précédente) Les monts situés sous les doigts sont clairement marqués sur ce dessin extrait d'un manuscrit du XVe siècle appartenant à la bibliothèque bodléienne d'Oxford. Notez l'annotation de la croix figurant sur le mont de Jupiter : "La croix est signe d'honneur et de dignité pour ceux qui devraient être évêques…" (voir aussi p. 57).

15

Les monts et les doigts

Le mont de Saturne montre l'amour de la solitude, une prudence innée ainsi qu'un intérêt certain pour les choses occultes.

Le mont du Soleil — appelé aussi mont d'Apollon — exprime l'amour de la beauté et des arts. Trop développé, il dénote une personnalité surtout préoccupée de l'apparence extérieure.

La signification du mont de Mercure dépend de la nature du reste de la main. En général, toutefois, il révèle une personnalité spirituelle et pleine d'entrain, qui aime le changement sous toutes ses formes.

marqué pour l'occultisme et la philosophie. Hypertrophié, le mont de Saturne souligne l'excès de ces qualités : de là, un tempérament dépressif, et déprimant.

E *Le mont du Soleil (ou d'Apollon).* Le mont du Soleil bien développé indique l'amour de la beauté et de l'art sous toutes ses formes. Tout ce qui s'adresse aux sens esthétiques de l'homme — la peinture, la poésie, la sculpture, les paysages, etc. — est important pour le sujet chez qui le mont du Soleil est bien développé. Trop marqué, celui-ci révèle une personnalité pour laquelle la gloire, l'apparence, le goût de la fioriture priment sur tout le reste.

F *Le mont de Mercure.* Tout comme l'influence de Mercure en astrologie, le mont de Mercure peut être bénéfique ou néfaste. Sur une main "mal influencée", un grand mont de Mercure accentue l'aspect négatif ; sur une main "bien influencée", il renforce les caractères favorables. En général, un mont de Mercure très marqué indique une personnalité spirituelle, pleine de vie, qui aime les voyages, le changement, les sensations fortes. Trop développé, le mont de Mercure exprime l'excès de ces caractères, jusqu'au désastre, parfois.

G *Le mont de Mars négatif.* Semblable en cela au mont de Mars positif, le mont de Mars négatif dénote des vertus martiennes dominantes, mais, cette fois, sur le plan moral plutôt que physique. Trop développé, il dénote un caractère facilement trop conscient de ses droits et privilèges et beaucoup moins strict quand ceux des autres sont en jeux.

H *Le mont de la Lune.* Bien développé, le mont de la Lune est associé à un type de personnalité à la fois romantique et imaginatif. Trop développé, ce mont révèle un caractère rêveur, peu réaliste, souvent désarmé devant les réalités pratiques de la vie.

Les doigts. Les doigts, comme les monts, portent les noms des planètes. L'index est le doigt dominant ; il est associé à Jupiter — planète bénéfique en astrologie et roi des dieux dans la mythologie romaine. Il indique les potentialités de l'individu dans le domaine de la vie extérieure. Ainsi, un gros doigt de Jupiter, surtout s'il est accompagné d'un gros pouce, révèle la réussite matérielle jointe à un désir de domination. Poussée à l'excès, cette conformation montre une personnalité impérieuse, cherchant à dominer et à réussir, sans le moindre souci des besoins et des sentiments d'autrui. Un index effilé, spécialement s'il est plus court que l'annulaire, est révélateur d'un fort sentiment d'insécurité et s'assortit bien souvent d'une certaine inaptitude à faire face à la vie pratique. Une personne présentant cette conformation doit se garder d'une tendance à être trop facilement dominée par les autres. Le médius se réfère à Saturne. Celui qui possède un doigt de Saturne extrêmement long manifeste une tendance à la froideur dans les relations per-

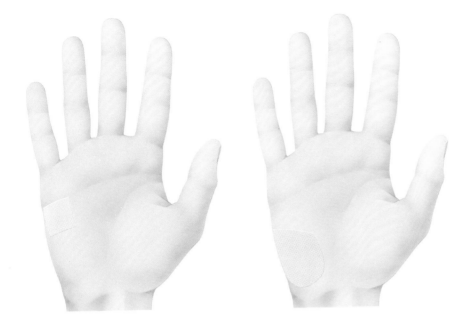

Le mont de Mars négatif (à l'extrême gauche) est associé, comme le mont de Mars positif (voir p. 15), aux qualités martiennes, mais prises sous leur aspect moral plutôt que physique. Le mont de la Lune (ci-contre) est associé aux natures romantiques et imaginatives.

sonnelles mais se montre tout à fait compétent dans le domaine pratique. Un doigt de Saturne trop court dénote un certain manque de sens pratique mais, souvent, un esprit créateur et une sympathie innée pour les sentiments d'autrui.

L'annulaire appartient au Soleil et au dieu Apollon. Son développement révèle les qualités émotives de la personnalité. Le doigt du Soleil long et bien développé indique l'équilibre émotif, l'annulaire court et mal formé le contraire. Apollon, dieu du Soleil, est traditionnellement associé à la médecine et à la musique ; certains chiromanciens pensent qu'un gros doigt d'Apollon prédispose le sujet à embrasser l'une ou l'autre de ces car-

rières. Une ancienne croyance populaire, démentie par la médecine moderne, voulait qu'une veine reliât directement ce doigt au cœur : c'est pourquoi les anneaux de mariage sont passés à ce doigt.

L'auriculaire se réfère à Mercure — la planète et le dieu romain. C'est le doigt de la sociabilité, des relations entre l'individu et les autres hommes. Si le doigt est nettement séparé des autres, c'est le signe que le sujet éprouve des difficultés considérables à établir des relations à un niveau approfondi. Un long auriculaire est considéré comme le signe d'une puissante intelligence, au contraire de l'auriculaire très court, généralement tenu pour indice de stupidité.

Extrait d'un autre manuscrit du XVe siècle de la bibliothèque bodléienne, représentant les doigts de Jupiter, de Saturne, du Soleil et de Mercure.

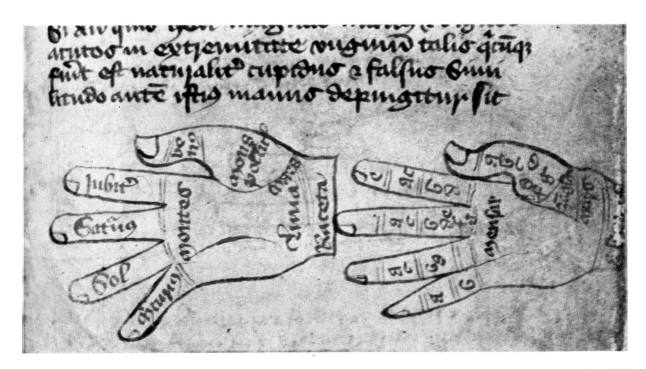

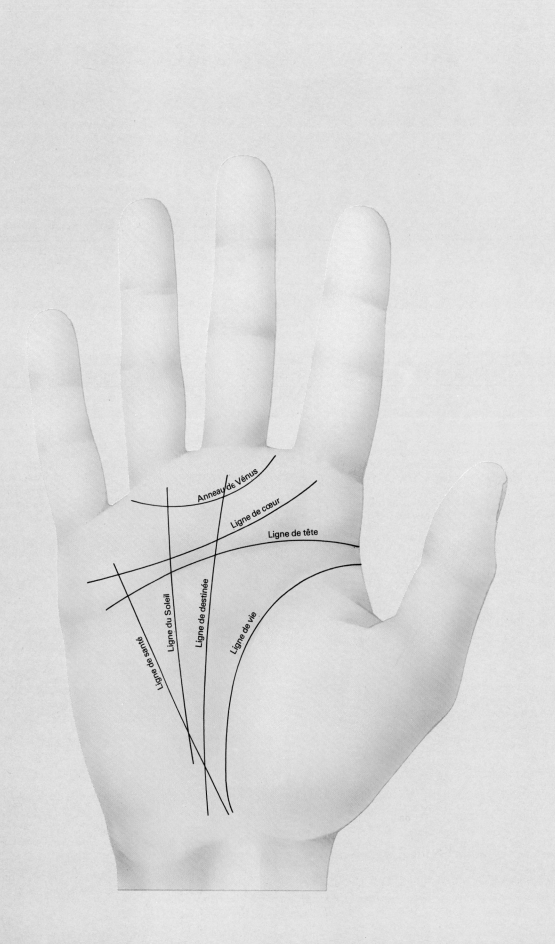

4
Les principales lignes de la main

Il existe, normalement, sept lignes majeures et cinq lignes mineures dans la main. Les sept lignes majeures sont :

(a) *La ligne de vie* - ligne courbe contournant et entourant le mont de Vénus.

(b) *La ligne de tête* - qui traverse plus ou moins en diagonale le centre de la paume.

(c) *La ligne de cœur* - quasi parallèle à la ligne de tête, sous la naissance des doigts.

(d) *L'anneau de Vénus* - plus proche de la naissance des doigts que la ligne de cœur et enfermant généralement les monts de Saturne et d'Apollon.

(e) *La ligne du Soleil* - qui, plus ou moins rectiligne, traverse la paume jusqu'au mont d'Apollon.

(f) *La ligne de santé* - qui court en diagonale sur la paume, jusqu'au mont de Mercure.

(g) *La ligne de destinée* - qui traverse le centre de la main, depuis le poignet, ou presque, jusqu'au mont de Saturne.

Parmi ces lignes, les trois premières sont les plus importantes et figurent normalement dans toutes les mains. Les cinq lignes mineures sont :

(a) *La ligne de Mars* - ligne courbe sur le mont de Mars, située à l'intérieur et quasi parallèlement à la ligne de vie.

(b) *La Via lascivia ou Voie lactée* - parallèle à la ligne de santé.

(c) *La ligne d'intuition* - ligne courbe allant du mont de la Lune au mont de Mercure.

(d) *La ligne d'union* - ligne horizontale sur le mont de Mercure.

(e) *Les bracelets ou rascettes* - on en trouve un, deux ou trois sur le poignet.

Les lignes mentionnées ci-dessus figurent en général sur les deux mains mais il arrive qu'elles soient absentes de l'une ou des deux mains. Une ligne présente sur une main mais très différente ou totalement absente sur l'autre, revêt une grande signification, car la main droite et la main gauche indiquent des choses différentes. Le vieil aphorisme des chiromanciens le dit : "La main gauche est la main avec laquelle nous sommes nés, la main droite est la main que nous faisons."

Pris à la lettre, ce n'est pas vrai. Les mains changent tout au long de la vie, une chance extérieure reflétant une chance intérieure. Les lignes d'une main donnée peuvent, par exemple, indiquer une névrose mais, après traitement approprié, elles peuvent tendre à disparaître ou, du moins, s'estomper. Néanmoins, les chiromanciens s'accordent à trouver une bonne part de vérité dans l'ancienne maxime et considèrent que, si la main gauche révèle ce que Cheiro appelait le "caractère naturel" — autrement dit les traits de caractère et les tendances innés —, la main droite reflète les effets de l'environnement et des efforts personnels sur la vie et la constitution psychologique de la personnalité. Détail non dénué d'intérêt, de nombreux chiromanciens estiment que, chez les gauchers, les polarités sont inversées — la main droite indiquant les prédispositions héritées, la gauche l'usage des potentialités innées.

La ligne de vie

La longueur de la ligne de vie, qui, rappelons-le, entoure le mont de Vénus, était tenue par les chiromanciens de la vieille école pour une indication de la durée de vie probable. Ainsi, au XIXᵉ siècle, Heron-Allen racontait-il cette anecdote lugubre : il avait annoncé à un jeune homme "qu'un mal fatal l'attaquerait à trente-sept ans et l'emporterait à quarante et un" et cette prédiction s'était réalisée à la lettre. Comme l'a fait observer le chiromancien contemporain Fred Gettings, il est très possible que Heron-Allen ait été le bourreau involontaire de cet homme : pareille prédiction peut s'imprimer dans l'inconscient et, sous l'influence bien connue de l'esprit sur le corps, provoquer une maladie physique justifiant la prophétie.

Aujourd'hui, les chiromanciens sensés *rejettent* cette interprétation et ne pensent pas davantage que la longueur de la ligne de vie indique la durée de vie — aussi, si votre ligne de vie est très courte, comme chez nombre de personnes, n'y a-t-il aucune raison de prévoir une mort prochaine !

Cependant, les chiromanciens modernes ne considèrent pas la longueur de la ligne de vie comme négligeable ; ils affirment plutôt que sa longueur correspond à la vitalité physique générale du sujet. Les coupures de la ligne, dit-on, *peuvent* indiquer les maladies mais elles peuvent également montrer une modification nette de la direction ou de la qualité de la vie du sujet — comme un changement de carrière au milieu de la vie.

L'important, c'est le point de départ de la ligne de vie.

Il en existe trois principaux :

(1) Le commencement — c'est-à-dire l'extrémité la plus proche des doigts — peut coïncider avec le début de la ligne de tête. C'est le point de départ de loin le plus habituel.

(2) Il peut se trouver sur le mont de Jupiter, croisant ainsi, parfois, la ligne de tête avant de partir vers le poignet.

(3) Il peut se situer sous la ligne de tête (c'est-à-dire plus loin des doigts).

Le premier cas, commencement partagé avec la ligne de tête, est révélateur d'une vitalité physique fortement contrôlée par l'esprit. La simultanéité des débuts vie-tête est signe aussi de sagacité. Sagacité particulièrement marquée si les deux lignes font une fourche bien nette. A tel point que certains chiroman-

Les principales lignes de la main

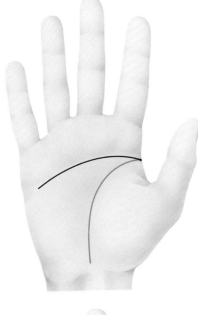

Lorsque la ligne de vie commence au même point que la ligne de tête, c'est le signe que l'activité physique est étroitement contrôlée par l'esprit. Une fourche bien nette s'appelle, pour nombre de chiromanciens, la ''marque de l'homme d'affaires''.

La ligne de vie commençant sur le mont de Jupiter signifie que l'énergie physique est entièrement tournée vers la réalisation des ambitions.

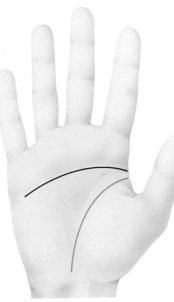

La ligne de vie commençant au-dessous de la ligne de tête dénote un certain manque de contrôle des forces physiques.

ciens parlent de "marque typique de l'homme d'affaires". Qualité souhaitable à maints égards, la sagacité, si elle est excessive, pousse le sujet à trop "laisser sa tête diriger son cœur", à réfréner émotions et sentiments en choisissant *toujours* le côté pratique des choses.

Le deuxième cas, ligne de vie commençant sur le mont de Jupiter, indique que la vie physique du sujet sera puissamment influencée par ses tendances joviennes. Il ou elle sera ambitieux, l'énergie physique tournée vers la domination de l'entourage, la recherche du prestige et la satisfaction des ambitions.

Dans le dernier cas, départ de la ligne de vie sous la ligne de tête, on verra sans doute un usage relativement immodéré de la vitalité physique. Cela présente des dangers psychologiques, en entraînant aux actions entreprises sous l'impulsion du moment, sans souci des considérations pratiques.
Il est clair à présent pour le lecteur que la chiromancie a de solides affinités avec l'astrologie et qu'il n'est pas inutile d'examiner la ligne de vie à la lumière de ce qu'on nomme l'"astrochiromancie". Selon celle-ci, la ligne de vie appartient au signe zodiacal des Gémeaux, ce qui implique, en gros, dualité de vie, interaction perpétuelle entre matière et esprit, entre activité et passivité. La compréhension de ce point amène le chiromancien à une connaissance intuitive des relations entre les lignes de tête et de vie.

La ligne de tête
Il y a trois points d'où part normalement la ligne de tête :
(1) Le commencement de la ligne de vie.
(2) Le mont de Mars, en deçà de la ligne de vie.
(3) Le mont de Jupiter, généralement en son centre.

La signification du premier — coïncidence de la naissance des lignes de tête et de vie — a déjà été expliquée.

La deuxième position de départ, sur le mont de Mars, n'est généralement pas tenue pour favorable. Elle indique, théoriquement, une personnalité inquiète, plutôt névrotique, instable. Le fort élément martien prédispose le sujet à montrer un tempérament querelleur.

La troisième position de départ — le mont de Jupiter, souvent au centre — est une position puissante, surtout si la ligne de tête touche la ligne de vie. La personnalité devrait être énergique, douée d'une variété de talents et faire montre d'ambition. Le sujet est un chef né, apte à diriger choses et gens avec justice, mais à son avantage.

Le nom l'indique, la ligne de tête est étroitement liée à la mentalité du sujet. D'après sa vigueur, ses points de départ et d'arrivée, son allure générale, le chiromancien mesure les forces et les faiblesses mentales de la personnalité.

Lorsque la ligne est entièrement rectiligne et fortement inscrite dans la paume, son possesseur est vraisemblablement doué de bon sens, quelque peu matérialiste et dépourvu d'imagination, qu'il méprise d'ailleurs.

Rectiligne dans sa première moitié, puis légèrement inclinée, la ligne de tête indique une personnalité équilibrée, à la fois imaginative et pratique dans son approche mentale de la vie. Une telle alliance est, évidemment, très favorable, car le sujet pourra aborder avec sympathie les choses de l'imagination tout en gardant la tête froide.

Une ligne qui s'incline légèrement, dans son entier, montre l'existence d'un puissant élément imaginatif. Si l'inclinaison est très marquée, l'imagination est débridée, celle d'une personnalité "bohème" et peu classique, spécialement si la ligne continue sur le mont de la Lune.

Fred Gettings a splendidement décrit un tel cas :

"Si la ligne de tête atteint le mont de la Lune, c'est alors la libération des énergies indifférenciées qui se manifestent en rêves et fantasmes ; il faut s'attendre à une vue originale, imaginative de la réalité. Pareille terminaison peut donner quelqu'un qui est "perdu dans ses rêves", mais, si les autres signes de la main indiquent une puissance d'exécution considérable, cette manière de voir la réalité peut être utilisée et prendre forme dans l'art, spécialement dans la littérature."

Cette interprétation de la ligne de tête s'achevant sur le mont de la Lune est renforcée par les empreintes de paumes prises par les chiromanciens du XIXe siècle. Ainsi, par exemple, le grand Alexandre Dumas et le médium D.D. Home — caractères lunaires très marqués et imaginatifs — possédaient cette conformation.

Une tendance imaginative similaire (mais moins accusée) se retrouve lorsque la ligne se dirige simplement vers le mont de la Lune sans toutefois l'atteindre ou pousse vers lui une ramification.

On remarque parfois pareille ramification ou un mouvement vers d'autres monts. En voici les significations :

(1) L'inflexion ou la ramification tournée vers le mont de Jupiter est associée à une constitution psychologique utilisant les facultés mentales pour la satisfaction de ses ambitions, surtout les ambitions de puissance.

(2) L'inflexion ou la ramification tournée vers le mont de Saturne indique une psychologie où les facultés mentales sont orientées vers la religion, la philosophie ou la musique.

(3) L'inflexion ou la ramification tournée vers le mont du Soleil révèle un caractère psychologique avide de gloire ou de célébrité.

(4) L'inflexion ou la ramification tournée vers le mont de Mercure indique que les facultés intellectuelles s'exercent dans le domaine des affaires ou de la science.

On trouve parfois une double ligne de tête. Cette conformation rare dénote une personnalité extrêmement forte.

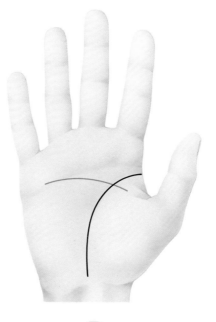

La ligne de tête prenant naissance sur le mont de Mars, au-dessous de la ligne de vie, est le signe d'un caractère névrotique et assez querelleur.

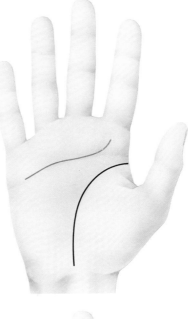

La ligne de tête prenant naissance sur le mont de Jupiter est un signe particulièrement puissant. Le sujet présentant cette conformation est né pour diriger.

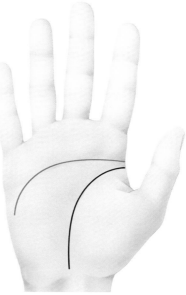

La ligne de tête arrivant jusqu'au mont de la Lune dénote un caractère qui accorde une grande place au rêve et à l'imagination.

Les principales lignes de la main

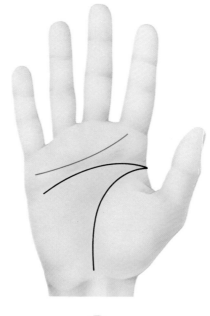

La ligne de cœur prenant naissance sur le mont de Jupiter révèle une personne qui a une vue idéalisée de la nature de l'amour.

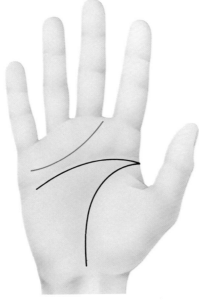

La ligne de cœur prenant naissance entre les doigts de Jupiter et de Saturne dénote une approche plus grossière des choses du cœur.

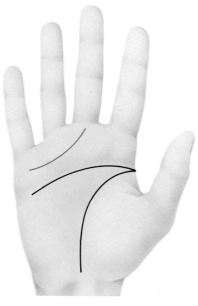

La ligne de cœur prenant naissance sur le mont de Saturne, ou près de lui, indique une personnalité dotée d'une énergie sexuelle très puissante, pour laquelle la satisfaction personnelle est plus importante que les sentiments des autres.

La ligne de cœur

Un bon chiromancien examine toujours la ligne de cœur en relation avec la ligne de tête, car, il peut voir par là la manière dont s'équilibrent — ou ne s'équilibrent pas — l'intelligence et les sentiments du sujet dont il lit les mains.

Il a toujours existé un sérieux désaccord entre les chiromanciens sur la signification exacte des diverses conformations de cette ligne. Ainsi, par exemple, la plupart des chiromanciens actuels tiennent une ligne de cœur fortement incurvée vers le premier doigt pour l'indication d'une vie sentimentale et sexuelle saine et vigoureuse. Jadis, toutefois, pareille conformation recevait un sens radicalement différent et plutôt sinistre : au XVIIᵉ siècle, le chiromancien Richard Saunders écrivait, en effet, que cette ligne "... nue, sans ramifications, et touchant la racine de l'index, prédit la pauvreté, les pertes, la ruine et les calamités."

Il existe trois points où peut commencer la ligne de cœur :

(1) Le mont de Jupiter, ou tout juste à proximité.

(2) Entre les monts de Jupiter et de Saturne, c'est-à-dire entre le premier et le deuxième doigt.

(3) Le mont de Saturne, ou tout juste contre.

La première conformation — naissance sur le mont de Jupiter — indique une personne dont la vie sentimentale et sexuelle avoisine ce que la période victorienne regardait comme le type le plus élevé de l'amour. En d'autres termes, l'idéalisation parfaite de la personne aimée, mise sur un piédestal et adorée comme si elle n'avait aucun défaut, aucune limitation, nulle faiblesse humaine. Un tel amour *peut* donner une vie de bonheur, mais il peut être aussi dangereux et contenir ses propres poisons. Car, l'idole adorée révèlerait-elle avoir des pieds d'argile, l'amour se muerait en haine sans qu'il reste trace d'affection humaine.

La deuxième conformation — naissance entre les monts de Jupiter et de Saturne — montre une approche nettement plus tranquille des choses du cœur. Benham, chiromancien du XIXᵉ siècle et auteur des *Lois de la lecture scientifique des mains*, traité encore étudié aujourd'hui, donnait une description assez fine de la psychologie émotive du sujet qui présente cette conformation. Une telle personne, dit-il, devrait avoir une vie amoureuse suivant "une ligne médiane, faite de bon sens et de sens pratique", qui ne la laisserait pas céder aux transports sentimentaux mais envisagerait l'amour d'un point de vue pratique, l'inclinant à penser qu'"un cœur et une chaumière" est un mythe à moins d'avoir beaucoup de beurre à mettre sur le pain. Une personne, en bref, dont les affections seraient solides mais toujours tenues dans les limites du raisonnable.

La troisième conformation — la ligne naissant sur le mont de Saturne ou tout contre — est traditionnellement associée à une personnalité dans laquelle la pulsion sexuelle est extrêmement puissante. L'amour n'est jamais dissocié du sexe et la sensualité résultante mène souvent à un certain égoïsme dans les affections — aussi longtemps que la personne concernée est rassasiée de plaisirs sensuels, particulièrement sexuels, elle reste assez étrangère aux sentiments et aux réactions émotives du partenaire.

La signification présumée décrite ci-dessus, qui, d'origine toute classique qu'elle soit, paraît valable dans un grand nombre de cas, est confirmée par l'astrochiromancie : Saturne est le maître du Capricorne, le bouc sautant qui a toujours été étroitement lié à la sexualité.

Un autre point de naissance habituel de la ligne de cœur se trouve dans une bifurcation de la ligne de vie ou de tête. C'est, semble-t-il, le signe d'une certaine froideur d'attitude en matière de sentiment.

L'aspect le plus important, peut-être, de la ligne de cœur est sa direction incurvée ou rectiligne. Plus elle est courbe, plus grand est le désir d'aimer et d'être aimé. Plus elle est droite, plus froide est la personnalité — celle qui laisse toujours sa tête dominer son cœur, ses processus mentaux régir sa vie sentimentale.

On trouve quelquefois une main dans laquelle la ligne de cœur est si ténue ou si courte qu'on peut la croire inexistante — elle est, d'ailleurs, parfois totalement absente. Nombre de chiromanciens d'autrefois avaient une vue assez sombre à ce sujet. L'un d'eux écrivait :

"Si, dans une main, on ne peut trouver *aucune* ligne de cœur, c'est le signe infaillible de la perfidie, de l'hypocrisie, et des pires instincts, et, à moins que la ligne de santé soit très bonne, le sujet, enclin aux maladies de cœur, cour un risque sérieux de mort brutale, prématurée."

Pareille interprétation paraîtrait absurde à l'immense majorité des chiromanciens contemporains. D'abord, ils considèrent que cette ligne concerne exclusivement la vie sentimentale et sexuelle et non le cœur-organe et ses possibles défaillances. Ensuite, ils interpréteraient plutôt l'absence de ligne de cœur comme l'indication de sentiments très contrôlés — peut-être trop —, mais non d'un "manque de cœur" dans l'acception courante, encore moins de "perfidie, d'hypocrisie, des pires instincts et d'une mort brutale, prématurée."

La ligne de destinée

La ligne de destinée, qui traverse verticalement le centre de la paume jusqu'au mont de Saturne ou presque — parfois jusqu'au deuxième doigt, le doigt de Saturne —, est parfois appelée ligne de sort ou ligne de Saturne.

Cette ligne est, quelquefois, double. C'est une conformation superbe et souhaitable qui indique que le sujet poursuivra deux carrières distinctes mais associées, encore plus favorable si les deux lignes aboutissent sur des monts différents ou à proximité : selon le caractère et la dominante de ces monts (voir chapitre précédent), on peut deviner la nature de ces carrières.

Le chiromancien ne doit pas prendre une double ligne de destinée ou tout autre conformation comme le signe d'une carrière ou d'un destin inévitable. La ligne de destinée n'indique pas tant ce qui surviendra inéluctablement, la carrière embrassée, que la *totalité des influences que le monde fera peser sur nous.* Cela concerne les gens que nous croiserons dans notre carrière, l'ascendant, bon ou mauvais, qu'ils *pourront* avoir sur nous, les conflits intellectuels et sentimentaux, les influences qui *pourront* affecter notre vie si nous le permettons, l'aboutissement de la carrière adoptée *pourvu que nous décidions de la mener à terme.*

Il existe cinq points de départ normaux :
(1) La ligne de vie.
(2) Les poignets, parfois même les bracelets.
(3) Le mont de la Lune.
(4) La ligne de tête.
(5) La ligne de cœur, mais le cas est assez inhabituel.

La première conformation — naissance à la ligne de vie — indique une réussite professionnelle due au mérite personnel. C'est surtout vrai si la ligne de destinée est forte et bien marquée. Toutefois, le succès ne viendra qu'à un âge avancé si la première partie de la ligne est "assujettie" à la ligne de vie. Cet aspect montre clairement que l'environnement — les parents ou la famille, peut-être — constituera un obstacle durant les premières étapes de la carrière.

La deuxième conformation — début sur le poignet — est signe de réussite professionnelle et d'un grand bonheur, surtout si la ligne s'étend jusqu'au mont de Saturne.

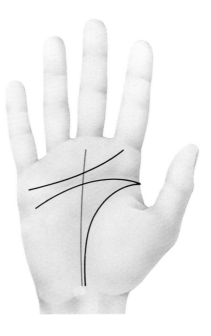

La ligne de destinée issue de la ligne de vie indique que la réussite professionnelle sera le fruit du mérite personnel.

Les principales lignes de la main

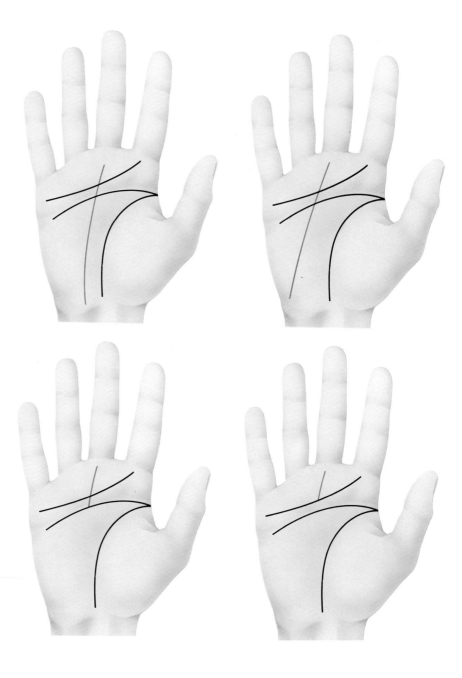

La ligne de destinée partant du poignet, surtout si elle se prolonge jusqu'au mont de Saturne, est le signe d'un grand bonheur (ci-contre). Partant du mont de la Lune (à l'extrême droite), elle indique que la réussite matérielle dépend des activités imprévisibles des autres.

La ligne de destinée prenant naissance sur la ligne de tête (ci-contre), ou sur la ligne de cœur (à l'extrême droite), indique une réussite relativement tardive.

La troisième conformation — début sur le mont de la Lune — est traditionnellement comprise comme la marque que "le succès dépendra plus ou moins de la fantaisie et des caprices d'autrui." Nombre de chiromanciens récusent aujourd'hui cette interprétation. Ils affirmeraient plutôt que le sujet, s'il était bien avisé, choisirait un métier "public" — journalisme, radio, télévision, arts, etc. Si la ligne est droite mais comporte une ramification poussant jusqu'au mont de la Lune, la signification est quasi la même. Outre qu'il est fort possible qu'une personne, ou plusieurs, influent puissamment sur la carrière.

Les quatrième et cinquième conformations — origine sur les lignes de tête ou de cœur —

révèlent que la réussite professionnelle sera relativement tardive.

La ligne de destinée se termine normalement sur le mont de Saturne ou à proximité. La signification d'une ligne aboutissant sur ou tout près d'autres monts — ou poussant une ramification vers eux — se présente comme suit :

(1) Sur le mont de Jupiter, à côté, ou ramifiée vers lui : personnalité forte, ambitieuse et efficace assurée d'une réussite professionnelle sans doute assez précoce.

(2) Sur le mont du Soleil, à côté, ou ramifiée vers lui : carrière réussie, le succès survenant probablement vers le milieu de la vie et portant la personnalité à l'attention des autres.

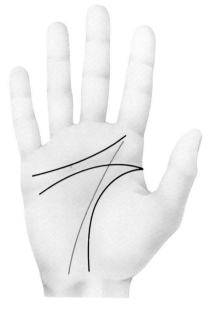

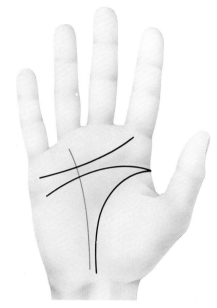

La ligne de destinée se terminant sur le mont de Jupiter, ou tout contre (à l'extrême gauche), est le signe très net d'une personnalité fort ambitieuse qui réussira assez vite. Se terminant sur le mont du Soleil, ou tout contre (ci-contre), elle indique que la réussite viendra vers le milieu de la vie. Se terminant sur le mont de Mercure, ou tout contre (en bas, à gauche), suggère des succès dans la création ou les voyages.

Sur ce manuscrit du XVe siècle appartenant à la bibliothèque bodléienne, on distingue la ligne de destinée qui naît sur le poignet et rejoint le mont de Jupiter, signe d'une grande réussite précoce.

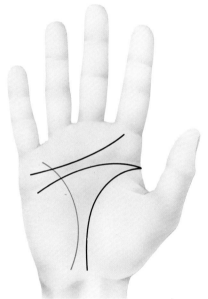

(3) Sur le mont de Mercure, à côté, ou ramifiée vers lui : la réussite professionnelle interviendra vraisemblablement dans des métiers concernant les voyages, les communications, les livres ou la science.

Quelques interprétations classiques

Certaines significations classiques des conformations de la ligne de destinée sont d'un grand intérêt, bien qu'elles indiquent des *tendances* plutôt qu'un destin inéluctable.

(1) La ligne de destinée déborde la paume jusqu'au doigt de Saturne ou (rarement) un autre doigt : signe défavorable. Dans son métier, le sujet voudra toujours aller trop

Les principales lignes de la main

La ligne de destinée prolongée au-delà de la paume, jusque sur un des doigts, est signe que le sujet poussera trop loin ses affaires professionnelles.

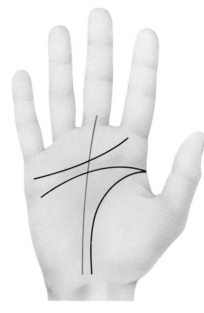

loin. Si sa carrière le conduit à un poste directorial, il essaiera de dominer ses subordonnés, qui le considéreront comme un tyran. A l'inverse, occupant une fonction subalterne il sera obséquieux avec ses supérieurs.

(2) La ligne est forte mais s'arrête net sur la ligne de cœur : la sexualité fera obstacle à la réussite professionnelle. Si la jonction des lignes est harmonieuse, si, ensemble, elles atteignent le mont de Jupiter, la carrière sera réussie, les sentiments s'y épanouissant.

(3) La ligne de destinée s'arrête net sur la ligne de tête : erreurs de jugement compromettant la carrière.

La ligne de destinée, bien marquée, s'arrêtant net sur la ligne de cœur (ci-contre), veut dire que le sujet laissera la sexualité entraver une brillante carrière. La ligne, s'arrêtant sur la ligne de tête (à l'extrême droite), signifie que des erreurs intellectuelles seront commises.

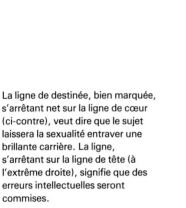

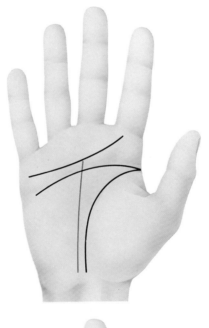

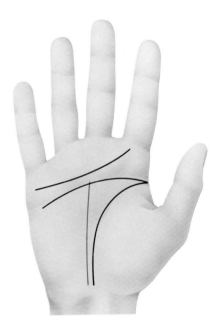

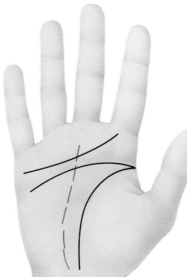

Une ligne de destinée brisée en plusieurs endroits indique de nombreux changements de métiers.

(4) La ligne de destinée est brisée : le sujet changera perpétuellement de métier : tantôt pour le mieux, tantôt pour le pire.

(5) La ligne de destinée ne commence qu'au centre de la paume (la "plaine de Mars" selon les Anciens) : carrière difficile et troublée. Toutefois, si la ligne est longue jusqu'à toucher un mont ou un doigt, ces difficultés seront surmontées et le succès obtenu.
Lorsque la ligne de destinée est fourchue, une branche venant du mont de Vénus, l'autre du mont de la Lune, la carrière tout entière du sujet oscillera entre les sentiments exacerbés et l'occultisme, l'exaltation mystique.

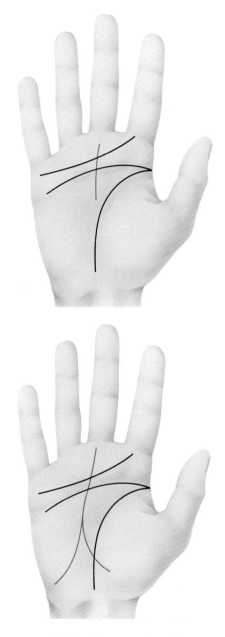

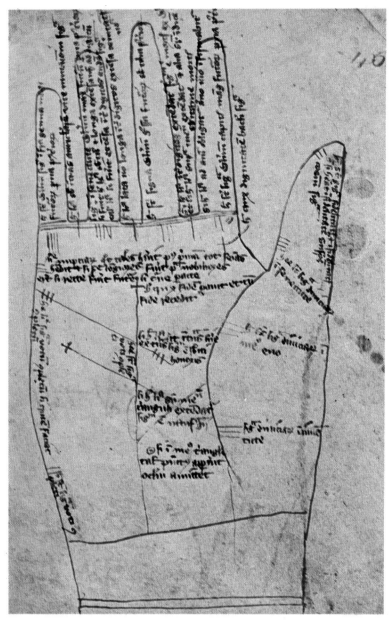

dirige vers l'hépatique, annonce des tribulations et adversités, surtout si cette ligne est inégale.

— Une ligne partie de la rascette et montant directement vers l'index, annonce de longs voyages (tradition).

Quatre lignes à la restreinte semblables et bien colorées et placées en forme de bracelet, annoncent quatre-vingts à cent ans d'existence.

Si deux petits rameaux forment un angle aigu dans la rascette, ils annoncent un homme destiné a de riches héritages, honoré dans sa vieillesse, et cela plus encore, s'il se trouve une étoile ou une croix dans cet angle. Il sera en outre peu sujet aux maladies (tradition).

Nous donnons ci-contre l'exemple d'une MAIN HEUREUSE.

a. Double ligne de vie.

b. Bonheur absolu (saturnienne directe).

c. Luxe en amour et en bonté (rameaux au commencement et à la fin).

d. Union d'amour.

e. Anneau de Vénus.

f. Génie complet avec racines.

g. Réussite dans les arts, renommée.

h. Union de Mercure et de Vénus, perspicacité en affaires, amour et fortune.

i. Bon tempérament.

j. Triple bracelet magique, longue vie.

k. Amour unique.

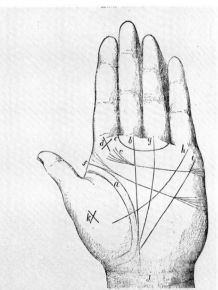

18

Lorsque la ligne de destinée ne commence que dans la plaine de Mars (tout en haut, à gauche), cela indique une carrière troublée et difficile. Fourchue (à gauche, en bas), elle montre que la carrière du sujet sera influencée par les sentiments et, d'autre part, par les éléments mystiques.

Sur ce manuscrit du XVe siècle (en haut), la ligne de destinée commence sur le poignet et se termine entre les monts de Saturne et du Soleil. Sur le schéma tiré des *Mystères de la main* de Desbarolles (ci-contre), la ligne de destinée longue et droite, indique ''un bonheur parfait''.

27

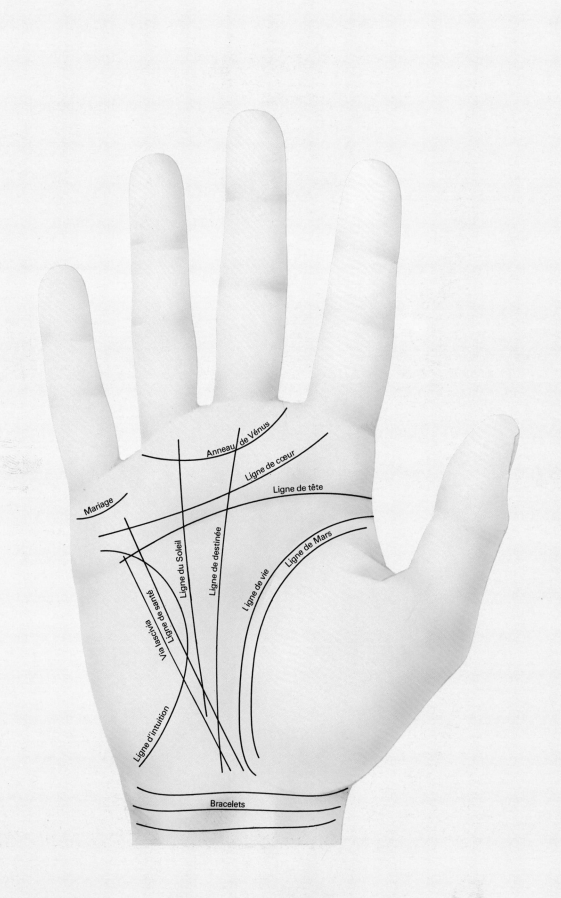

5
Les lignes secondaires

L'anneau de Vénus

L'anneau de Vénus est la courbe qui va du mont de Mercure au mont de Jupiter ou qui, parfois, part d'entre les troisième et quatrième doigts et s'arrête entre les premier et deuxième doigts.

Les premiers chiromanciens croyaient que la présence de cette ligne dénotait une forte sensualité. La plupart des chiromanciens actuels récusent cette idée, sauf si la ligne est très marquée, dans une main exceptionnellement charnue.

En règle générale, loin d'être associée à une sensualité exceptionnelle, cette ligne indique

A l'évidence, les malheureux affligés d'un tel tempérament sont très difficiles à vivre ce qui crée souvent de grosses difficultés dans toutes les formes d'association, particulièrement dans le mariage. La tradition veut que ce point se vérifie surtout si l'anneau de Vénus touche la ligne de mariage.

Peut-être tout le problème du sujet présentant ce signe malheureux a-t-il été résumé par Cheiro : il écrivait que l'homme possédant cette caractéristique "devrait souhaiter trouver dans une femme autant de vertus qu'il y a d'étoiles dans l'univers".

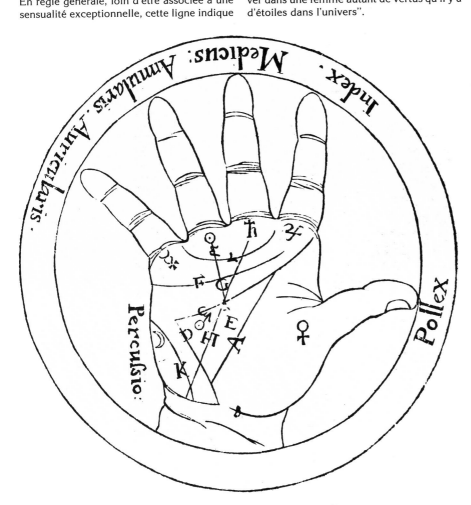

une nature sensible, intellectuelle. Les sujets présentant cette conformation sont susceptibles de changements d'humeur brusques et irrationnels — ils sont tantôt au zénith, tantôt lugubres, déprimés, anxieux. En d'autres termes, ce sont de parfaits cyclothimiques.

De telles personnalités se vexent aisément, leur humeur s'embrasant pour la moindre vétille. Par chance pour ceux qui les pratiquent, ces éclats s'apaisent d'habitude aussi vite qu'ils sont nés, la furie faisant place au repentir en un instant.

La ligne du Soleil

La ligne du Soleil, ou ligne d'Apollon, descend du mont ou du doigt du soleil (le troisième doigt) vers le poignet, en général parallèlement à la ligne de destinée.

La présence de cette ligne dans la main accroît le potentiel bénéfique d'une bonne ligne de destinée. En harmonie avec les autres lignes de la main, elle assure une vie couronnée de succès.

En discordance avec les autres lignes (une forte ligne du Soleil, par exemple, mais une

Ce dessin, tiré de l'*Histoire de Deux Mondes* de Robert Fludd (1617), montre une ligne du Soleil naissant au point d'intersection des lignes de tête et de destinée.

Les lignes secondaires

faible ligne de destinée), elle n'indique qu'une disposition psychologique tournée vers les arts. Toutefois, à moins qu'une potentialité créatrice n'apparaisse dans la conformation générale des autres lignes, pareille personnalité ne fera pas un créateur. Selon le mot de Cheiro, ce caractère possède "la compréhension de l'art sans le pouvoir d'expression".

Parfois, il faut le noter, la ligne du Soleil manque sur une main qui dénote, par ailleurs, un fort tempérament artistique. Cela signifie que le sujet, consacré à son art, aura bien du mal à se faire reconnaître. Malgré un travail acharné, malgré ses mérites, il connaîtra

rarement la gloire de son vivant, n'obtenant plus vraisemblablement qu'une reconnaissance posthume.

La ligne du Soleil peut naître d'un des points suivants :
(1) La ligne de vie.
(2) La ligne de tête.
(3) La ligne de cœur.
(4) La ligne de destinée.
(5) Le mont de la Lune.
(6) Le centre de la paume — la "plaine de Mars".

La première conformation, pourvu que le reste de la main corresponde à une nature artistique, indique une personne qui mènera

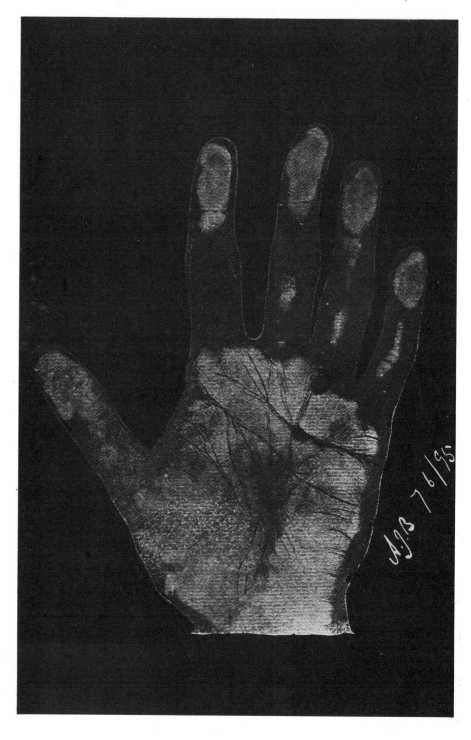

Une empreinte tirée de la collection de Cheiro, montrant plusieurs lignes du Soleil parallèles et fortement marquées sur la main de A.J. Balfour.

une vie où les arts auront une grande importance. Si le reste de la main favorise une carrière artistique, le succès viendra.

La deuxième conformation — origine sur la ligne de tête — dénote une personnalité dont les penchants artistiques seront toujours contrebalancés par un puissant élément rationnel. Les personnes de ce type menant une carrière artistique ne devraient connaître le succès (ou l'échec) qu'assez tard.

La troisième conformation — naissance sur la ligne de cœur — montre un goût marqué pour les arts et ce qui s'y rapporte, mais peu de chance de succès dans une carrière y consacrée.

La quatrième conformation — début sur la ligne de destinée — améliore les indications d'une ligne de destinée médiocre. Dans ce cas, une carrière très réussie devient hautement probable même si le succès ne doit être que fort tardif.

La cinquième conformation — départ sur le mont de la Lune — crée toutes les conditions

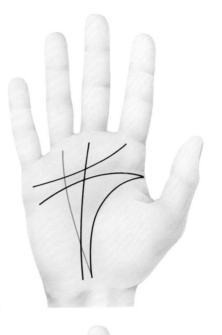

La ligne du Soleil naissant de la ligne de vie est l'indication d'une personnalité réussie.

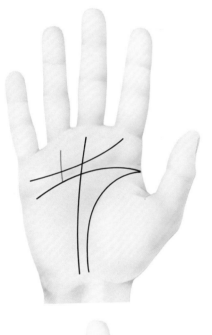

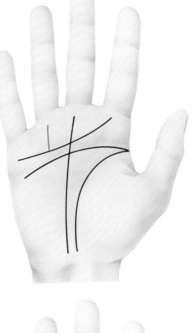

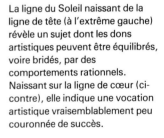

La ligne du Soleil naissant de la ligne de tête (à l'extrême gauche) révèle un sujet dont les dons artistiques peuvent être équilibrés, voire bridés, par des comportements rationnels. Naissant sur la ligne de cœur (ci-contre), elle indique une vocation artistique vraisemblablement peu couronnée de succès.

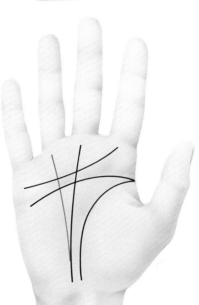

La ligne du Soleil prenant naissance sur la ligne de destinée (à l'extrême gauche) renforce et améliore les indications de celle-ci ; si elle naît sur le mont de la Lune (ci-contre), elle est signe de réussite, mais d'une réussite reposant sur l'assistance d'autrui.

31

Les lignes secondaires

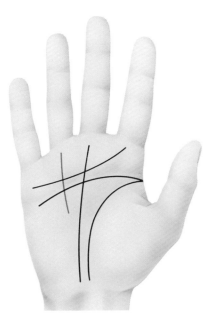

La ligne du Soleil naissant dans la plaine de Mars indique que la réussite sera finalement atteinte malgré des obstacles au départ.

du succès, mais qui viendra de l'aide d'autrui. Sans cette dernière, la gloire sera difficilement atteinte. Toutefois, si la naissance sur le mont de la Lune se complète d'une ligne de tête fortement inclinée, ce peut être le signe de succès littéraires, ou autres, pourvu que l'imagination y joue un grand rôle.

La dernière conformation — naissance dans la plaine de Mars — implique que le succès sera finalement acquis malgré de nombreuses difficultés dans la première partie de la vie.

Si le doigt du Soleil (le troisième) est presque aussi long que le doigt de Saturne (le deuxième), si, de plus, s'ajoute une longue ligne du Soleil, il s'agit d'un tempérament de joueur. Le sujet prendra des risques à tout propos : sa vie sentimentale, ses finances, sa carrière. Tout comme le possesseur d'un anneau de Vénus très développé, cette personne est souvent très difficile à vivre.

Une ligne du Soleil bien marquée, combinée à une ligne de tête assez droite, indique l'amour du pouvoir et des richesses.

La ligne de santé

La ligne de santé, appelée parfois "hépatique", court en diagonale à partir du poignet, assez près du mont de Vénus, jusqu'au mont de Mercure ou à proximité.

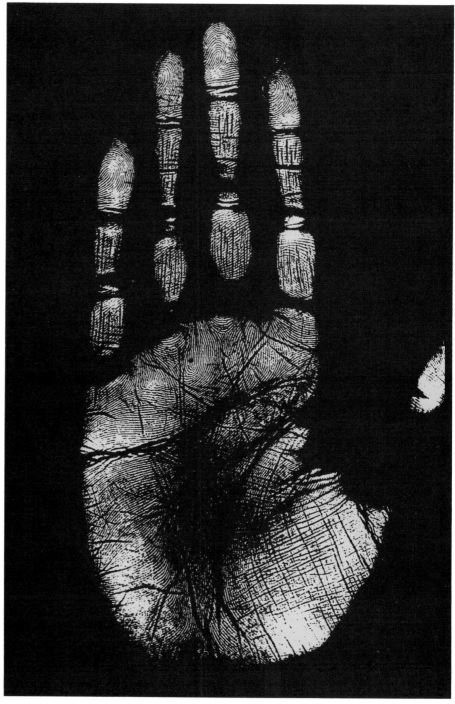

Une ligne de santé bien nette, baptisée parfois ligne du foie ou ligne hépatique, sur une main féminine.

Les anciens chiromanciens croyaient que le point de rencontre entre les lignes de santé et de vie indiquait infailliblement le moment de la mort. De même, ils pensaient que, quelque forte ou bien marquée que fût la ligne de vie, une ligne de santé faible ou anormale était le signe certain d'une mort prématurée. Par contraste, on tint l'absence de cette ligne pour le signe d'une constitution extrêmement saine et robuste. D'autre part, la seule présence de cette ligne fut prise pour l'indication d'une certaine faiblesse de constitution.

Les chiromanciens modernes récusent généralement cette vue fataliste. Pour eux la présence de cette ligne signifie seulement que le sujet devra consacrer un peu plus d'attention que les autres à sa santé.

La ligne de Mars

La ligne de Mars, ou "ligne de la vie intérieure", est la courbe intérieure plus ou moins parallèle à la ligne de vie.

La principale signification de la présence de la ligne de Mars est un sérieux renfort de la ligne de vie. Elle donne de l'énergie à une ligne de vie faible et augmente la puissance et l'énergie d'une ligne de vie forte et bien marquée.

Elle offre, cependant, quelques significations moins favorables. Le nom même l'indique,

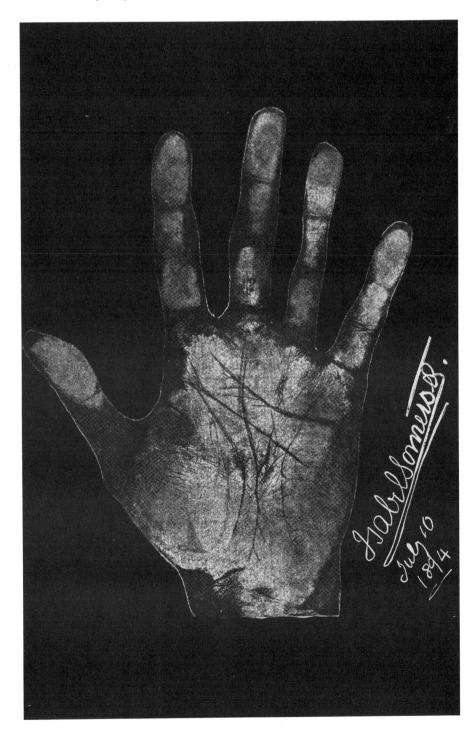

La ligne de Mars exceptionnellement nette de la main de lady Isabel Somerset, célèbre militante des ligues antialcooliques de la fin du XIXe siècle.

Les lignes secondaires

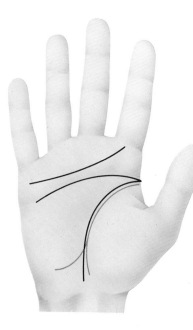

elle est naturellement martienne et ceux qui la possèdent manifestent une tendance à la colère. Ils se querellent pour un rien, se vexent pour des vétilles et montrent de l'arrogance, un air autoritaire et brutal. Positivement, cette ligne implique du courage et des vertus guerrières — elle favorise le soldat et le boxeur professionnel.

Il existe un autre sens, plus sombre, attribué par la chiromancie classique. S'il existe une ramification poussant vers le mont de la Lune, le sujet montrera un désir insatiable d'expériences nouvelles et de sensations fortes. Le sujet présentera vraisemblablement des tendances alcooliques ou se droguera —

le danger venant de l'attrait fondamental de ces tentations.

La Via lascivia

La Via lascivia, appelée parfois Voie lactée, est assez rare. Lorsqu'elle existe, elle s'inscrit en parallèle à la ligne de santé, généralement à l'extérieur ; on les confond souvent. Sa présence est normalement signe d'une forte personnalité, solide, passionnée au plus haut degré.

Considérée comme la compagne de la ligne de santé, la Voie lactée, selon certains chiromanciens, devrait compenser les défauts de celle-ci.

Si la ligne de Mars fait une fourche, l'une des branches dirigée vers le mont de la Lune, elle indique une soif inextinguible de sensations nouvelles.

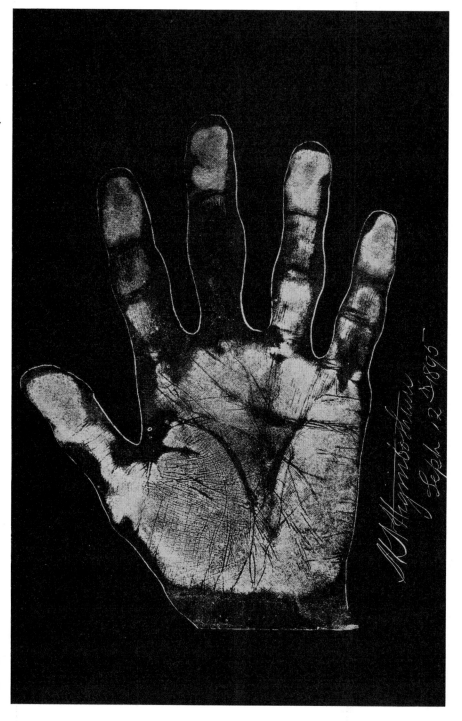

La Via lascivia ne figure pas souvent sur la main. Ici, sur une autre empreinte tirée de la collection de Cheiro, on peut voir la main de H.N. Higinbotham, le président de l'exposition universelle de Columbia, en 1895.

La ligne d'intuition

Lorsqu'elle est inscrite dans la main, cette ligne dessine un demi-cercle allant du mont de Mercure au mont de la Lune. Parfois, elle coupe ou suit la ligne de santé, mais, normalement, quand elle existe, elle s'en distingue aisément.

Selon les traditions de la chiromancie, elle indique, le nom même le suggère, une psychologie très intuitive, une personnalité très réceptive aux "vibrations" et aux atmosphères émotionnelles. La sensibilité d'un tel sujet frémit toujours aux frontières de l'invisible. Le sujet perçoit ce qui échappe aux autres, déchiffre les nuances du comportement des autres sans qu'il soit besoin de mots, et prend les meilleures décisions sur des bases apparemment irrationnelles. Ces personnes sont attirées par le psychisme, peuvent manifester des pouvoirs médiumniques, être influencées par des forces — peut-être des entités — dont l'existence même est généralement ignorée du commun des mortels.

L'idée bien établie que les femmes appartiennent au "sexe intuitif" se confirme ici : cette ligne se retrouve plus fréquemment dans les mains féminines que dans les mains d'hommes, comme le montre l'empreinte ci-dessous.

Un bon exemple de ligne d'intuition sur une main de femme.

Les lignes secondaires

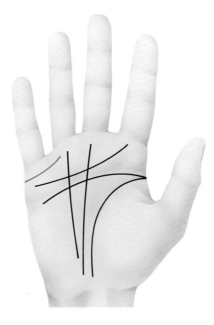

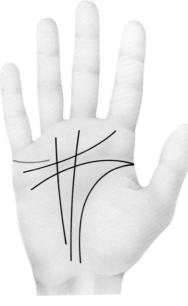

Une ligne de mariage fortement marquée et montant vers la ligne du Soleil est l'indication d'un riche mariage.

La ligne de mariage courant le long de la ligne de cœur est un signe de bonheur.

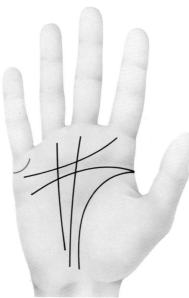

Une ligne de mariage qui s'incurve nettement vers le haut indique qu'une liaison durable est improbable.

La ligne de mariage

La ligne de mariage consiste en des marques assez compliquées situées à la base du doigt de Mercure (l'auriculaire) et s'étendant quelquefois jusque sur le mont de Mercure lui-même.

Sa signification concerne, évidemment, le mariage, mais dans le sens le plus large du terme. En bref, elle concerne l'ensemble de nos relations étroites avec autrui. Le mariage lui-même, ou tout autre relation sexuelle, est la plus étroite et la plus commune de ces relations.

Cette ligne, plus exactement ces marques, peuvent commencer sur le côté du doigt ou avant que le doigt ne touche la base du mont de Mercure. Seules les longues marques intéressent le mariage ou les relations sentimentales très étroites, les marques plus courtes étant réservées aux autres relations.

Lorsque la marque principale est proche de la ligne du cœur, la chiromancie classique l'entend comme l'indication d'un mariage précoce, entre seize et vingt et un ans. De même, si la marque principale se trouve près du centre du mont de Mercure, le mariage devrait être, ou avoir été célébré entre vingt et un et vingt-huit ans. Aux trois quarts en travers du mont de Mercure — tournée vers le mont du Soleil —, le mariage se situe entre vingt-huit et trente-cinq ans.

La tendance moderne est de ne pas prendre trop au sérieux la ligne de mariage — la ligne de cœur constituant généralement, aujourd'hui, une meilleure indication de la vie sentimentale.

Cependant, pour être complet et à l'intention de ceux qui penchent plus pour la forme traditionnelle de la chiromancie, voici les anciennes interprétations de la ligne de mariage.

Lorsque la ligne de mariage est fortement marquée, et qu'elle naît juste sur le mont de Mercure, lorsque cette marque monte vers la ligne du Soleil, elle prédit un riche mariage (ou une autre forme de relation permanente). Pareil mariage peut, toutefois, n'être pas heureux, car les fortes influences indiquent un élément aléatoire de caprice et d'imagination plus qu'un amour vrai dans les relations.

La forme de la ligne de mariage qui indique le bonheur est celle où la ligne remonte vers la ligne de cœur et se poursuit à côté de celle-ci sans la rejoindre.

Lorsque la ligne de mariage se recourbe nettement vers le haut, il est peu probable que le sujet se marie ou entretienne une liaison sexuelle durable.

La ligne qui fait une fourche à son extrémité et descend vers le centre de la main, est signe de divorce ou d'une autre forme de séparation permanente. Le divorce et la séparation sont également indiqués lorsqu'une fine ligne croise la ligne de mariage et descend vers le centre de la paume.

Certaines de ces interprétations classiques sont encore plus sombres que celles mentionnées dans le paragraphe précédent. Par exemple, la ligne de mariage qui s'incurve vers le bas et pousse vers la ligne de cœur, jusqu'à la toucher, parfois signifie que l'être

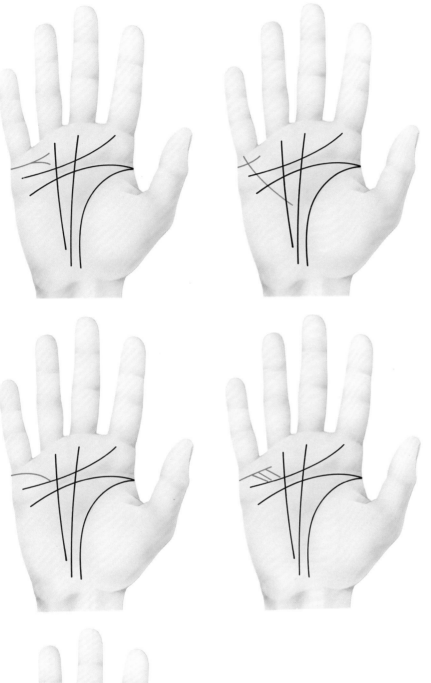

Le divorce est indiqué par une fourche à l'extrémité de la ligne de mariage (à l'extrême gauche) ou par une fine ligne coupant la ligne de mariage et dirigée vers le centre de la paume (ci-contre).

La ligne de mariage s'incurvant vers le bas, vers la ligne de cœur, est le signe présumé que l'être aimé mourra le premier (à l'extrême gauche). De même, de fines lignes descendant de la ligne de cœur (ci-contre) indiquent un état de santé alarmant chez le partenaire.

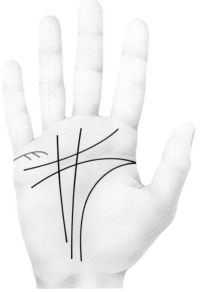

aimé mourra le premier. De même, la ligne de mariage bien marquée, mais barrée de fines lignes partant vers la ligne de cœur, est le signe d'une anxiété, ancienne ou proche, provoquée par l'état général de l'être aimé. Si la ligne de mariage comporte de nombreuses petites lignes inclinées, le sujet serait mal avisé d'établir des relations personnelles profondes car elles n'aboutiraient qu'à beaucoup de malheur. Une ligne de mariage fourchue signifie la même chose. Si la ligne est brutalement rompue, il faut s'attendre à une séparation tout aussi brutale.

La ligne de mariage descendant et coupant la ligne de Soleil signifie que les relations entamées conduiront à une perte de statut social.

Le sujet qui présente une ligne de mariage d'où partent de petites lignes penchées serait mal avisé d'établir avec quiconque des relations personnelles durables.

37

Les lignes secondaires

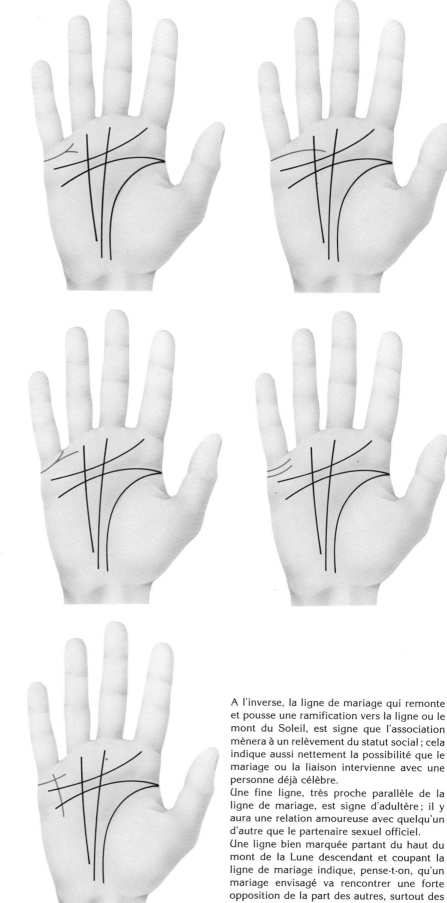

Une ligne de mariage fourchue (ci-contre), ou brisée, est le signe d'une séparation brutale. Lorsque la ligne descend et coupe la ligne du Soleil (à l'extrême droite), elle est le signe d'une déchéance sociale.

La ligne de mariage s'incurve vers le haut et est ramifiée vers le mont du Soleil (ci-contre) : cela suggère une promotion sociale résultant d'un mariage. Une fine ligne courant parallèlement à la ligne de mariage est signe d'adultère (à l'extrême droite).

Une ligne bien marquée qui part du mont de la Lune et coupe la ligne de mariage est considérée comme le signe d'une forte opposition à l'union.

(Page suivante) *Le Chiromancien,* tableau du XVIIIe siècle dû au pinceau de Jean-Baptiste Le Prince (1734-1781).

A l'inverse, la ligne de mariage qui remonte et pousse une ramification vers la ligne ou le mont du Soleil, est signe que l'association mènera à un relèvement du statut social ; cela indique aussi nettement la possibilité que le mariage ou la liaison intervienne avec une personne déjà célèbre.

Une fine ligne, très proche parallèle de la ligne de mariage, est signe d'adultère ; il y aura une relation amoureuse avec quelqu'un d'autre que le partenaire sexuel officiel.

Une ligne bien marquée partant du haut du mont de la Lune descendant et coupant la ligne de mariage indique, pense-t-on, qu'un mariage envisagé va rencontrer une forte opposition de la part des autres, surtout des parents et des proches de l'une des parties.

Les lignes secondaires

Les bracelets (ci-contre) sont généralement au nombre de trois, bien que deux bracelets, ou même un seul, se rencontrent fréquemment. La ligne de vie s'étendant jusqu'aux bracelets, est l'indication d'une vie longue et d'une bonne santé.
Mais lorsque le premier bracelet se trouve assez haut sur le poignet (à l'extrême droite), cela dénote une faiblesse de constitution.

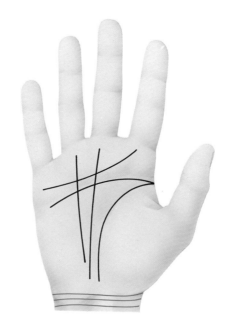

Les bracelets

Après les aspects décourageants qu'offre la ligne de mariage, il est bienvenu de porter son attention sur les bracelets.

Il peut s'en trouver un, deux ou, le plus souvent, trois, cerclant l'intérieur du poignet, rarement le dos.

Fortement et clairement marqués, les bracelets indiquent une constitution particulièrement saine et robuste. Plus encore si la ligne de vie descend vers eux et s'y joint. Certains chiromanciens tiennent cette conformation pour le signe presque infaillible d'une vie longue, saine et heureuse.

Des bracelets brisés (à droite) indiquent une vanité démesurée doublée d'une tendance au mensonge.

Une vue moins réjouissante de la signification des bracelets fut proposée par Cheiro et toujours admise, de nos jours, par ses successeurs. Selon cette interprétation, le premier bracelet — le plus proche de la paume — s'il est situé en haut du poignet, naissant presque de la paume, implique quelque faiblesse de constitution. C'est particulièrement vrai, pense-t-on, si le bracelet est cintré. Des ruptures dans les bracelets sont également des signes inquiétants. Si les trois bracelets sont rompus en un point, l'un au-dessus de l'autre, c'est un signe de vanité excessive et de fausseté, conduisant au désastre.

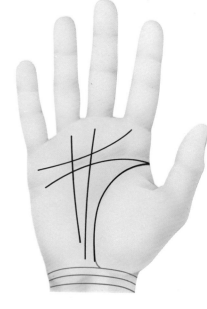

L'anneau de Saturne

Cette conformation rare, un anneau en demi-cercle entourant la base du mont de Saturne, est supposée défavorable. Elle conduit apparemment au manque de succès dans la vie; Cheiro et d'autres chiromanciens ont affirmé qu'elle isole le mont de Saturne si brutalement du reste de la main que ses possesseurs ont tendance à se montrer incapables de mener à bien quoi que ce soit.
D'autres maintiennent que cet anneau indique "d'extraordinaires pouvoirs occultes".

L'anneau de Saturne, très rare, est censé annoncer un manque de succès dans la vie.

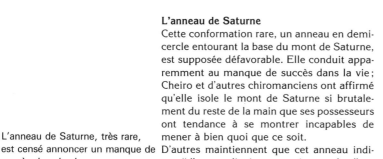

Dessins extraits d'un traité du XVIe siècle attribué à Andreas Corvus della Mirandola : les bracelets de la main d'un homme irascible et malfaisant (en haut, à gauche), d'une femme peu faite pour la maternité (en haut, à droite), d'un homme avare et étourdi (en bas, à gauche) et d'un homme entêté (en bas, à droite).

6
La classification de la main en huit points

Il était dit au chapitre 2 qu'il existait une autre méthode de classification des mains, difficile à expliquer tant que le lecteur n'était pas familiarisé avec la conformation générale des lignes. Le lecteur dispose à présent des connaissances nécessaires.

Il s'agit d'une classification en huit points. L'un des types de mains est attribué à la Terre, les sept autres aux "planètes" traditionnelles de l'astrologie (la Lune, Mercure, le Soleil, Vénus, Mars, Jupiter et Saturne).

La main de la Lune

La main lunaire est très douce, ses lignes peu marquées et nombreuses. Sur le mont de la Lune figure souvent une spirale, et sur ce mont, généralement assez bas, prend naissance la ligne de destinée.

L'homme ou la femme présentant une main lunaire montre un tempérament inquiet mais accommodant, curieux de tout, aimant les voyages, et quelque peu extravagant. Ce dernier point va de pair avec des finances instables — allant, en général, plutôt mal que bien. L'amour du changement et des voyages oriente la personnalité lunaire vers des occupations où ceux-ci jouent un rôle — le journalisme ou l'industrie touristique, notamment.

La nature aventureuse, avide de nouveautés, de ce type de personnalité l'incite au jeu, aux spéculations et autres aventures financières. Ce même facteur empêche la personnalité lunaire de rester longtemps au même endroit et jalonnera sa vie d'innombrables changements de métier et de carrière.

Du point de vue astrologique, la Lune régit l'imagination : on pouvait s'y attendre, la psychologie lunaire est imaginative. Cette personnalité, souvent, connaît des rêves intenses et très animés et comprend mieux les images psychiques de l'inconscient que la plupart des gens.

On l'imagine, ces sujets ont souvent des capacités psychiques allant jusqu'à la médiumnité, et nombreux sont ceux qui portent un intérêt marqué à l'occultisme, au mysticisme et à la "face cachée de la nature". La personne qui possède une main lunaire est d'un commerce agréable et apprécié ; d'abord parce qu'elle est réellement sympathique, ensuite parce qu'elle bénéficie des qualités de réflexion de la Lune, qu'elle est capable de percevoir les humeurs sentimentales et mentales des autres et d'en renvoyer le reflet avec une extrême affection.

Le principal défaut de la psychologie lunaire est son côté versatile. Ces personnes peuvent être particulièrement irritantes — un jour, elles défendent farouchement la stabilité dans l'ordre social, le lendemain, elles prêchent la révolution ; aujourd'hui, elles plaident avec chaleur pour les liens sacrés du mariage, demain, elles illustreront tout aussi chaleureusement les vertus de l'amour libre. Il est clair qu'avec de telles personnes, il est difficile de nouer des liens sentimentaux durables. Néanmoins, nombre de personnalités lunaires connaissent des mariages heureux. L'essentiel est que le partenaire soit conscient que la psychologie lunaire est sujette à de soudaines sautes d'humeur, qu'il apprenne à transiger et à ne pas se laisser écarter dans l'excitation du moment.

La nature réfléchie, compréhensive, sympathique des personnalités lunaires les rend très efficaces dans les entreprises sociales, personnelles ou professionnelles. Elles font d'excellentes nurses, visiteuses de prison, assistantes sociales et, pourvu que l'imagination s'allie à l'intelligence, de remarquables psychologues.

La main de Mercure

La main de Mercure se reconnaît à l'auriculaire (le doigt de Mercure) assez long et à la ligne d'intuition forte et bien marquée approchant du mont de Mercure, lui-même relativement élevé. Les quatre doigts s'inclinent légèrement vers le pouce et les premières phalanges sont longues et parfois assez larges.

Les caractéristiques fondamentales de ceux qui présentent une main de Mercure sont la vivacité d'esprit et les capacités intellectuelles marquées. Ils aiment la connaissance

La main lunaire, douce et couverte de lignes légèrement marquées, indique un caractère inquiet mais peu exigeant.

La main de Mercure se distingue par le doigt de Mercure bien développé, signe de vivacité d'esprit et de capacités intellectuelles.

pour elle-même, se consacrent à l'étude et s'intéressent sérieusement à la littérature et à la science. Ils font montre d'une belle faculté d'adaptation de la pensée et des sentiments, ainsi que d'un caractère calme et serein, tourné vers l'optimisme. Ce qui favorise leur amour de l'étude et leur permet d'affronter la vie pratique.

Leur intelligence est si solide qu'ils la surmènent quelquefois — la dépression nerveuse, la névrose, les maladies psychologiques provoquées par le surmenage intellectuel sont les maladies typiques de ces sujets. Comme ceux qui possèdent une main lunaire, les bénéficiaires d'une main de Mercure manifestent un goût prononcé pour les voyages, et si leur entourage, familial ou professionnel, contrecarre ce penchant pour les pérégrinations et/ou pour l'érudition, il peut s'ensuivre une sorte d'explosion psychologique. Leurs relations avec leurs subordonnés, chez eux comme dans leur travail, constituent pour eux une source de tracas et de surmenage intellectuel. Cependant, ils sont appréciés par ceux qui les rencontrent, spécialement dans les cercles littéraires ou scientifiques.

Ils se "marient bien", généralement, et le mariage, comme les autres formes d'association, aboutissent souvent à des bénéfices financiers, surtout, et c'est fréquent, lorsque ces sujets montrent de brillantes aptitudes aux affaires — une solide faculté de traiter les matières financières avec intelligence.

Les dangers indiqués par la possession d'une main de Mercure sont aussi apparents que ses vertus positives. Il y a une tendance à surestimer l'importance du versant intellectuel de la vie aux dépens des sentiments. Cela conduit à une attitude méprisante envers ceux qui ne sont pas doués d'une aussi belle intelligence que le sujet mercurial typique. Il en résulte qu'à moins de savoir garder sa langue, ce sujet peut manquer d'indulgence pour les insuffisances des autres, surtout intellectuelles.

Le sujet mercurial est aussi menacé par l'anxiété — faisant une montagne d'un rien. Au pire, il est conduit à la névrose obsessionnelle — comme ces personnes qui vérifient deux ou trois fois si le robinet du gaz est fermé, s'éveillent pendant la tempête pour voir si une fenêtre n'est pas restée ouverte ou si le toit ne fuit pas, ou même se lavent sans arrêt les mains par peur de la contamination bactérienne.

Pourtant, le possesseur d'une main de Mercure est une personnalité appréciée, le cœur de toute réunion mondaine même s'il se montre parfois distant envers ceux qu'il tient pour subalternes ou intellectuellement inférieurs.

La main du Soleil

Dans le cas de la main du Soleil, ou main solaire, les doigts sont plus courts que la paume — ce qui, notons-le, correspond plus ou moins à la main de Feu de la classification "élémentaire" décrite dans un précédent chapitre. Les doigts sont noueux, les articulations bien développées. L'auriculaire (le doigt du soleil) est aussi long, voire plus, que l'annulaire (le doigt de Jupiter), la ligne du Soleil est généralement présente, bien marquée, ressortant bien dans la main.

L'ambition, l'énergie, le désir de domination et une constitution saine, telles sont les caractéristiques les plus notables des bénéficiaires d'une main solaire.

Le caractère solaire recherche la notoriété, la reconnaissance et l'admiration. Il est prêt à travailler dur pour atteindre ces objectifs, aidé, souvent, d'un sens aigu de l'observation et par son enthousiasme pour les progrès de l'enseignement. Dans ce domaine, tout comme le sujet présentant une main de Mercure, il est souvent attiré par ce qui touche à la science et à la littérature.

Les séductions du pouvoir et de la gloire sont telles pour le caractère solaire qu'il adore toutes les formes d'événements mondains — toutes, depuis les réceptions intimes jusqu'aux fêtes grandioses en passant par le théâtre d'amateurs — où sa personnalité peut le porter au premier plan et susciter l'attention et l'admiration. Dès lors, tous les types de plaisirs et d'amusements mondains sont d'une grande importance pour lui, pourvu qu'il puisse y tenir un rôle central.

Le caractère solaire est ainsi fait qu'il présente un charme considérable pour le sexe opposé. Le mariage occupe une part importante dans sa vie et, plus que d'autres, il épousera volontiers quelqu'un qui lui apporte un avantage financier. Son charme est si puissant, toutefois, que même le plus heureux et le plus stable des mariages menace d'être

La classification en huit points

La main solaire est similaire à la main de Feu, les doigts forts sont plus courts que la paume ; elle dénote un caractère qui aime être objet de l'attention publique.

troublé par une série de flirts ou, parfois, par des aventures extra-conjugales plus sérieuses.

Le sujet solaire entretient, d'habitude, de solides relations avec ses parents, avec d'autres membres âgés de sa famille et même avec des amis et connaissances d'un âge avancé. Les premiers offrent l'avantage d'un possible héritage ou d'un bénéfice financier quelconque, les seconds celui d'un appui professionnel. Ce dernier point est important en début de carrière et il peut en résulter une réussite professionnelle précoce doublée de la satisfaction des ambitions.

Les meilleures carrières, pour les caractères solaires, sont celles qui sont liées à la terre et à l'immobilier — la main solaire semble donner une aptitude naturelle à réussir dans ces deux domaines —, ou qui impliquent un poste de confiance. Dans ce dernier cas, l'intervention et l'amitié des supérieurs devraient revêtir une grande valeur et aboutir à la reconnaissance précoce des capacités.

Comme tous les types de mains, le caractère solaire présente un côté négatif. Son principal défaut est qu'il est si avide de gloire, si ambitieux, qu'il en fait trop et s'aliène à la fois ses supérieurs et ses subordonnés. Si on lui en fait le reproche, il se sent profondément offensé et se retire dans une solitude maussade. Les possesseurs d'une main solaire doivent se garder de cette tendance antisociale. Au total, pourtant, le profil psychologique du sujet solaire est sympathique : la nature ambitieuse et idéaliste s'allie aux qualités les plus souhaitables — la tolérance et la compréhension des pensées et des sentiments des autres.

Notons, enfin, que les mains solaires partagent certains traits de caractère avec les mains de Mercure, surtout quand le mont de Mercure est plein, charnu, saillant, révélant

ainsi le goût des voyages et l'instabilité professionnelle.

La main de Vénus

La main de Vénus est reconnaissable à son mont de Vénus proéminent, charnu, en forme de coupe inversée, le centre étant couvert de "rayons" — lignes extrêmement fines mais nettement visibles. La ligne de destinée, ou ligne de Saturne, naît sur le mont de Vénus. Le pouce est court et épais, la main entière assez petite et disproportionnée par rapport à la taille et au volume du sujet.

La main de Vénus typique indique une personnalité amicale et chaleureuse, appréciée par autrui, ainsi qu'une prédilection pour la vie mondaine et la compagnie d'autres gens. Dès lors, les amis et l'amitié constituent un facteur important et, au total, l'influence, directe ou indirecte, de ces amis a un effet bénéfique tant sur la carrière que sur la vie intime.

Le succès du vénusien auprès du sexe opposé est considérable, à tel point que certains vénusiens ne se fixent jamais et continue de butiner de fleur en fleur. Un tel comportement est incompatible avec un bonheur durable et le sujet vénusien serait bien avisé d'en changer et d'établir des relations soutenues. Car, lorsque le sujet vénusien se marie, il connaît en général une vie conjugale exceptionnellement heureuse et harmonieuse. Assez curieusement, le mariage des sujets vénusiens est fait d'extrêmes : habituellement source de bonheur et de plénitude sentimentale, il peut, dans les rares cas où il tourne mal, tourner vraiment mal, en effet, et causer, outre beaucoup de malheurs, de lourdes pertes financières.

Dans le cas du mariage vénusien type (bonheur tant physique que sentimental), l'entourage familial contribue grandement à accroître la qualité de la vie qui, au long des années, devient meilleure et de plus en plus heureuse. Vénus, bien sûr, régit la beauté en ce monde et un foyer esthétiquement satisfaisant constitue un élément primordial pour le sujet vénusien. Le désir de vivre dans un environnement attrayant et aimable s'exprime aussi en dehors du foyer. L'employé de bureau vénusien, par exemple, s'arrangera pour que son bureau reflète sa personnalité. Il l'ornera de fleurs et de plantes vertes et mettra en valeur ses "outils de travail", l'ensemble étant conçu pour stimuler et plaire.

La personnalité vénusienne manifestera un intérêt marqué pour les arts — danse, littérature, peinture, musique. Il se peut même qu'elle révèle des dons réels pour l'un ou pour l'autre, surtout si, comme la danse, sa pratique favorise les relations sociales. Même si elle n'en fait pas son gagne-pain, les arts ou les domaines connexes (la décoration d'intérieur, par exemple) occuperont toujours une place importante dans ses pensées, ses sentiments et sa philosophie personnelle.

Il est curieux de constater que le sens artistique révélé par la main vénusienne s'accompagne souvent d'une capacité marquée à manier l'argent et les affaires financières en

général. S'ajoute à cela un puissant magnétisme personnel qui assure l'aide et la coopération actives des autres.

La main de Vénus présente, comme les autres, son côté négatif. Le sujet vénusien ne tente nullement d'équilibrer son amour de la beauté par le bon sens et le respect des sentiments d'autrui ; il devient un esthète parfaitement égoïste. Tout ce qui l'intéresse est de se constituer un environnement aussi beau que possible, un miroir pour son ego. Cet objectif prime les autres et le sujet vénusien négatif n'éprouve nullement le besoin de savoir qui en souffre — ou qui paie la facture — pourvu que l'environnement soit beau. Ce genre de personnalité se trouvait couramment chez les esthètes raffinés et intensément égotistes des années 1890 — Lord Alfred Douglas, le compagnon d'Oscar Wilde, en est une bonne illustration.

Dans l'ensemble, pourtant, la majorité des sujets vénusiens ne suit pas ces chemins égoïstes. Ce sont des gens aimables, entourés d'amis sympathiques, vivant et travaillant dans un cadre agréable.

La main de Mars

La main de Mars se caractérise par une croix figurant sur le centre de la paume qu'on appelle traditionnellement "plaine de Mars". Le pouce est particulièrement fort et bien modelé ; la première phalange est très puissante et épaisse. Les lignes de la main sont plutôt courtes mais bien marquées, profondément inscrites dans la paume.

Ceux qui possèdent une main de Mars présentent toutes les qualités martiennes — et tous les défauts. Ils seront courageux, tant physiquement que moralement, ils auront un caractère aventureux et entreprenant, ils seront réellement capables de travailler dur. Tout ce à quoi ils toucheront sera pris au

sérieux ; une fois lancés, les projets seront poursuivis, quelles que soient les difficultés, jusqu'à leur plein achèvement. L'énergie, l'endurance, le "cœur au ventre" garantissent que même les plans les plus difficultueux seront menés à bien. Il est tout à fait possible que le sujet martien lance une affaire à ses moments perdus et, contre toute prévision, la conduise au succès. De même, le sujet martien est parfaitement capable de mettre à profit ses loisirs pour obtenir un diplôme ou une nouvelle qualification dont il se servira dans la vie pratique : il ne lui manque ni l'endurance ni la volonté.

Le profil psychologique du possesseur d'une main de Mars se distingue par la vivacité d'esprit, l'aptitude à être toujours d'attaque et à s'adapter aux circonstances fluctuantes ainsi qu'aux vicissitudes d'une existence de nomade.

Le sujet martien est destiné à faire fortune, généralement par lui-même, encore que, dans certains cas, il bénéficie d'appoints financiers venus d'héritages ou par mariage. Ceux qui possèdent une main de Mars sont souvent des passionnés de sport, et les joies qu'ils en tirent, comme acteurs ou spectateurs, constituent une part importante de leurs loisirs.

L'énergie débordante et l'ardeur à la tâche des sujets martiens leur garantit habituellement une carrière réussie quelle qu'elle soit, qu'elle se déroule dans une entreprise grande ou petite ou soit indépendante.

La force vitale du sujet martien se double généralement d'une ambition dévorante. Ce tempérament autoritaire est souvent associé à une réelle capacité d'exécution. Ce mélange puissant suffit en général pour surmonter tous les obstacles qui bloquent les chemins du succès. La réussite sociale est fréquente, les collaborateurs du sujet martien lui vouant une admiration certaine, mais cette réussite est considérée comme une

La main vénusienne, au mont de Vénus bien développé, indique une personnalité enjouée et extravertie.

La main de Mars présente un pouce particulièrement puissant. Le sujet doté de cette main possède les qualités et les défauts martiens.

45

La classification en huit points

Les troisièmes phalanges des doigts, particulièrement massives, sont caractéristiques de la main de Jupiter. Les sujets qui possèdent cette main sont généreux et d'un caractère égal.

juste récompense et ne compte pas pour elle-même.

La face négative du sujet martien est faite des qualités poussées à l'excès — le courage, par exemple, se mue en obstination malsaine et même en cruauté envers les subordonnés. L'impétuosité de Mars conduit à des situations familiales étranges telles que la création d'un foyer avec un partenaire remarquablement mal assorti ou une union très précoce. D'une manière générale, le possesseur d'une main de Mars a tendance à épouser soit son contraire absolu, une personnalité timide, effacée, sans beaucoup de ressort, soit son complément, une nature forte, dominante, indépendante. Le mariage de l'une ou l'autre sorte est fréquemment ou très heureux ou très malheureux. En ce qui concerne le caractère timide et effacé, ou bien il est complètement écrasé par l'énergie du conjoint et devient anémique, refoulé et névrotique, ou bien il s'imprègne de la force du partenaire et se mue en une personnalité plus équilibrée. Dans l'autre cas, le bonheur naît lorsque ces deux volontés et personnalités fortes se tournent dans la même direction, quand elles ont un but commun dans la vie. Si leurs énergies se tendent vers des objectifs différents ou s'opposent à l'ambition dévorante de l'autre, seul le malheur peut en résulter. Ces mariages aboutissent alors à une existence misérable, chacun s'irritant de l'ambition de l'autre — ou à une séparation, voire à un divorce.

Le principal défaut du sujet possédant une main de Mars est la tendance à se persuader de la parfaite rectitude de ses actes et de sa vision de la vie et, ainsi, à se montrer volontiers agressif et querelleur à l'égard de ceux qui font montre d'une philosophie différente. Toutefois, si le sujet peut juguler cette tendance, il se révélera un compagnon tout à fait aimable — tenté d'être, quand même, l'élément dominant dans toute relation personnelle.

La main de Jupiter

La main jovienne se reconnaît aux troisièmes phalanges des doigts, grandes, massives et épaisses. La main est, elle aussi, grande et épaisse, mais étonnamment douce, presque molle.

L'entourage familial présente une importance considérable pour les sujets possédant une main de Jupiter, il jouera un rôle énorme dans la formation du caractère. Pourvu que les influences familiales soient bénéfiques, la réussite dans la vie est pratiquement assurée. Même si l'environnement est défavorable, la chance naturelle qui accompagne la main de Jupiter peut amener la rencontre d'aînés qui influenceront au mieux la vie.

Les caractéristiques remarquables du sujet bénéficiant d'une main jovienne sont le calme, l'équanimité, la générosité et le sens de l'honneur. L'importance que le sujet jupitérien attache à vivre selon des principes honorables est encore renforcée par sa bonne volonté naturelle, sa philosophie de la vie, sa tolérance et sa largeur de vue devant les faiblesses d'autrui. S'y ajoute un optimisme inné et la tournure d'esprit propre à tirer parti de toute occasion de s'instruire.

Le sujet jovien possède une capacité naturelle à susciter le respect et la coopération de ceux qu'il rencontre, que ce soit chez lui, au travail ou pendant ses loisirs. C'est un facteur important de réussite, comme la robuste constitution du sujet jupitérien.

La main jovienne révèle certaines aptitudes pour la finance et son possesseur réussit généralement fort bien dans des domaines comme la comptabilité et la direction financière où cette qualité est primordiale. Le mariage ou tout autre forme d'union revêt souvent une grande importance psychologique ; il peut aussi présenter des avantages matériels.

En résumé, le sujet jovien est "né coiffé". Toutes ses entreprises, si déraisonnables soient elles en apparence, finissent toujours par tourner bien. Le sujet jupitérien est généreux, et sa générosité lui est rendue au centuple. Responsable, il sera chargé de fonctions qui amélioreront son statut social. Ses principes élevés lui apporteront fortune et succès. Le seul aspect négatif du caractère jovien est que sa réussite peut être si précoce et si facile qu'il en vient parfois à mépriser ceux qui trouvent que réussir est difficile.

La main de Saturne

Sur la main de Saturne, le médius — le doigt de Saturne — est long et les autres doigts s'inclinent vers lui. Le mont de Saturne est généralement proéminent et strié de lignes fines. Il y figure presque toujours une ligne traversant la paume depuis la ligne de vie jusqu'au mont de Saturne ou tout près. La main saturnienne indique la patience, la maîtrise de soi et l'obstination. La confiance en soi — habituellement justifiée par des capacités pratiques marquées —, un esprit pénétrant, sagace, "finaud", sont d'autres traits saturniens.

Cette qualité se retrouve dans le don qu'a le sujet saturnien pour la finance et pour se lancer dans de fructueuses spéculations, surtout sur les mines, l'immobilier et la terre.

Le sujet saturnien est généralement bien portant et la possession d'une main de Saturne est presque toujours le signe d'une vie longue et heureuse.

Etant donné la prudence qui caractérise le sujet saturnien, son mariage est souvent reporté à l'âge mûr et la personne élue est fréquemment plus âgée. La fidélité et une affection profonde, peut-être un peu secrète, constituent l'essentiel de cette union et des bénéfices matériels peuvent en résulter.

Le possesseur d'une main saturnienne est ambitieux — non de figurer au premier plan ni de compter parmi les gens en vue, mais de réussir quelque chose de solide. Cette ambition, jointe au sens des affaires du sujet saturnien, conduit souvent à des postes de responsabilité au niveau le plus haut.

A ces qualités s'ajoute un esprit sérieux, enclin au pessimisme en dépit de tous les succès obtenus. Cela peut conduire à une vie assez solitaire — les sujets saturniens éprouvent des difficultés à se faire des amis, mais, une fois accordée, leur amitié est inébranlable et traverse imperturbablement les joies comme les épreuves. Si le sujet saturnien donne libre cours à ses pensées lugubres, comme il y est trop porté, il peut se muer en solitaire, trouver une satisfaction morbide à mener une existence recluse, presque comme un ermite.

La main de Terre

C'est une main épaisse et ferme dont les lignes, profondément gravées, s'inscrivent dans la paume de façon bien marquée. La ligne de tête se termine généralement sur le mont de Mercure ou tout contre ; les lignes de tête et de vie sont anormalement proches l'une de l'autre. Le pouce est en général carré.

Le possesseur d'un main de Terre est lent mais sûr. En astrochiromancie, la main de Terre correspond au signe zodiacal du Taureau ; certains chiromanciens et astrologues ont été jusqu'à suggérer que ces sujets ont quelque chose du taureau — le cou épais et les narines larges.

Ce caractère manifeste un goût prononcé pour les bonnes choses, s'attaque à toutes les tâches avec enthousiasme, aime manger, boire et profiter pleinement des choses de la vie.

Le sujet doté d'une main de Terre combine l'égoïsme et la générosité ; il peut faire un excellent époux, un père ou une mère magnifique.

Au point de vue professionnel, ce sujet peut exercer la plupart des métiers mais est surtout doué pour les travaux manuels, la technique, la géologie, la poterie et tout ce qui touche à la terre.

Le côté négatif ? Le sujet est parfois impassible jusqu'à l'insensibilité ou la stupidité. Parfois aussi, derrière ce masque, se dissimule le grouillement de passions qui, libérées, pourraient tout balayer devant elles.

Un doigt de Saturne particulièrement long caractérise la main de Saturne. Ses possesseurs sont habituellement patients, persévérants et perspicaces.

La main de Terre est épaisse et ferme, dénotant une personnalité lente mais sûre, généreuse et indulgente.

47

7
Triangle et quadrangle

Le triangle de Mars

Le triangle de Mars, ou grand triangle, est formé par les lignes de tête, de santé et de vie. Si la ligne de santé manque sur la main examinée, le chiromancien doit lui substituer une ligne imaginaire. Par ailleurs, si, en l'absence d'une ligne de santé, il existe une ligne du Soleil, celle-ci constituera l'un des côtés du triangle.

Cette dernière conformation est extrêmement forte et indique nettement que la vie sera réussie. Curieusement, toutefois, cette même conformation est traditionnellement tenue pour un signe d'intolérance — il semblerait que les sujets dont la ligne du Soleil forme un des côtés du triangle de Mars soient moins larges d'esprit que ceux dont la ligne de santé joue ce rôle.

Le triangle de Mars doit être considéré : (a) en lui-même, comme une entité indépendante ; (b) par rapport à ses angles ; (c) par rapport à la surface de paume qu'il occupe.

Considéré en lui-même, le triangle doit être aussi grand que possible et nettement formé par les lignes de tête, de santé et de vie. Cette conformation indique fermement un esprit large, tolérant et généreux. Ces sujets sont particulièrement désintéressés, subordonnant toujours leurs intérêts personnels à ceux du groupe auquel ils appartiennent.

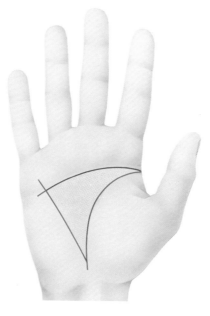

Le triangle de Mars, formé par les lignes de tête, de santé et de vie.

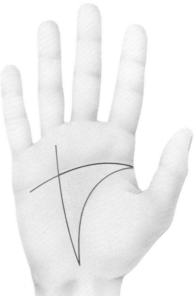

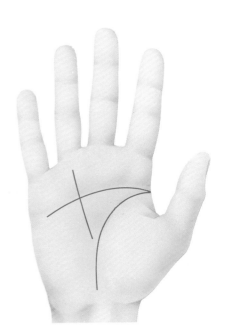

Une variante du triangle de Mars (ci-contre) peut être formée par les lignes du Soleil, de tête et de vie. Un petit triangle mal formé, d'autre part, indique une personnalité plutôt bornée et égotiste (à l'extrême droite).

Si la surface du triangle de Mars est petite, si le triangle lui-même n'est pas clairement marqué, si les lignes de tête, de santé et de vie sont courtes, peu apparentes et trem-blées, l'indication est juste inverse. Ces sujets auront l'esprit étroit, intolérant, seront médiocres au moral comme au physique, toujours profondément égotistes, plaçant leurs propres intérêts avant ceux de leur groupe et de l'humanité en général. Ces sujets prennent toujours soin d'être publique-ment de l'avis de la majorité, même si celle-ci a tort et si, secrètement, ils partagent les idées de la minorité.

Dans le cas où cette conformation apparaît mais où la ligne de santé est remplacée par la ligne du Soleil, l'individu concerné aura une mentalité tout aussi étroite, intolérante, égo-tiste, médiocre. S'y mêleront, toutefois, le goût de la réussite et une grande fermeté d'intention. Cette combinaison particulière montre, dès lors, la possibilité d'une réelle réussite dans une sphère limitée — la finance ou la politique, par exemple.

L'angle supérieur du triangle de Mars

Cet angle est formé par la jonction des lignes de vie et de tête. Idéalement, l'angle doit être facilement visible, bien pointu, égal. Pareille conformation dénote un esprit clair, de la délicatesse et de la prévenance.

Un angle plus ouvert révèle un profil psycho-logique élémentaire et très peu de sensibilité. Un tel sujet apprécie peu le côté imaginaire de la vie et manifeste une forte tendance à mépriser l'art, les artistes et ceux pour qui les aspects artistiques de la vie, qu'ils soient acteurs ou spectateurs, représentent l'es-sentiel.

L'angle très ouvert indique un caractère sem-blable à celui du fameux John Bull tant apprécié des auteurs satiriques. Le sujet s'exprimera d'une façon crue, carrée — fri-sant parfois la grossièreté — qui devrait bles-ser ses interlocuteurs et le rendre assez peu attirant. Le caractère est impatient, et pré-sente toutes les qualités négatives et les moins souhaitables de Mars. Le sujet est agressif, toujours furieux contre ce qu'il appelle la stupidité d'autrui. Il est peu enclin à s'appliquer à *quoi que ce soit* — qu'il s'agisse d'améliorer la vie familiale ou d'étudier ou de progresser dans son métier — et, la plupart du temps, baigne dans une misère qu'il a créée.

L'angle médian du triangle de Mars

L'angle "médian" du triangle de Mars est constitué par la jonction, ou la quasi-jonction, des lignes de tête et de santé ou des lignes de tête et du Soleil. Lorsque l'angle médian est très aigu, il dénote une psycholo-gie quelque peu névrotique ainsi qu'une fai-ble vitalité psychique et physique. Ce sujet

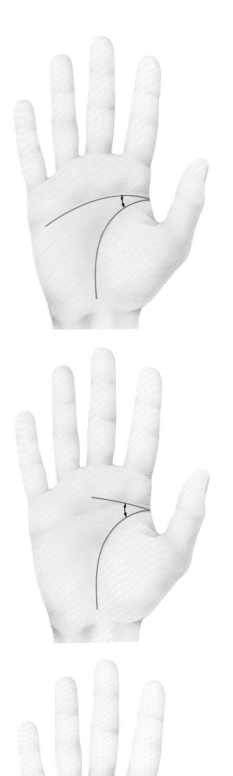

Un angle aigu entre les lignes de vie et de tête, formant l'angle supérieur du triangle de Mars, indique de la délicatesse et un esprit clair.

L'angle supérieur du triangle de Mars, plus ouvert, indique une personnalité commune, carrée, portée à l'impatience devant l'apparente stupidité des autres.

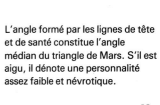

L'angle formé par les lignes de tête et de santé constitue l'angle médian du triangle de Mars. S'il est aigu, il dénote une personnalité assez faible et névrotique.

Triangle et quadrangle

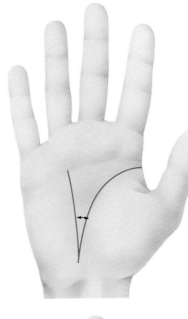

Lorsque l'angle médian du triangle de Mars est obtus, il indique un sujet dont l'esprit est peut-être un peu lent et la sensibilité limitée.

L'angle inférieur du triangle de Mars est formé par la ligne de vie et les lignes de santé ou du Soleil. Aigu, il indique un manque général d'énergie vitale.

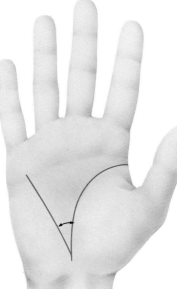

Lorsque l'angle inférieur du triangle de Mars est plus ouvert, il dénote une personnalité puissante, généreuse et débordante d'énergie.

imagine souvent qu'il est malade : cette conformation de la main se retrouve fréquemment chez les hypocondriaques.

Lorsque, à l'inverse, l'angle est assez ouvert, ou très ouvert, on remarque une certaine lenteur d'esprit et un manque de sensibilité. Cette dernière caractéristique entraîne une tendance qu'il faut prévenir en s'efforçant autant que possible de prendre connaissance des pensées et des sentiments d'autrui ; la première, par contre, n'est pas nécessairement un défaut. Car, si la réflexion procède lentement, avec constance et logique, son auteur finira par trouver la bonne solution, et il en sortira, au bout du compte, une décision saine déterminant l'action. L'esprit vif — qui brille en société — aura depuis longtemps trouvé ses solutions, mais la réaction est si prompte qu'une mauvaise réponse au problème peut s'y être mêlée, déclenchant un processus incorrect.

L'angle inférieur du triangle de Mars

L'angle inférieur est formé par la jonction, ou la quasi-jonction, des lignes de vie et de santé, ou des lignes de vie et du Soleil. Si l'angle est relativement aigu — ou pire, s'il est très aigu — et formé par la ligne de santé au lieu de la ligne du Soleil, c'est le signe d'un manque d'énergie physique, affective et spirituelle.

Le sujet tend à considérer que tout exige un effort insurmontable. Il commencera un travail — rémunéré ou domestique — ou poursuivra des études universitaires ou professionnelles avec un réel enthousiasme, mais, après quelque temps, l'enthousiasme diminuera, puis s'évanouira. Ce qu'il a entrepris est rarement achevé.

L'angle relativement ou très ouvert, indique une nature forte et un esprit puissant, débordant de vitalité. Lorsque cet angle est formé par la ligne du Soleil, la personnalité est très tolérante et très généreuse et douée d'une très belle vitalité. A l'inverse, si la ligne du Soleil participe à la formation d'un angle aigu (voir ci-dessus), l'étroitesse d'esprit et l'intolérance sont manifestes.

Le quadrangle de la paume

Entre les lignes de cœur et de tête se situe un espace oblong. De nos jours, certains chiromanciens attachent peu d'importance à cette région de la main, mais d'autres, comme leurs prédécesseurs des siècles passés, affirment qu'elle fournit d'utiles indications sur le caractère de la personne dont ils examinent la main.

Idéalement, le quadrangle devrait être assez large aux deux extrémités et de forme plutôt égale de sorte que l'aspect oblong soit aisément discernable. L'intérieur devrait être assez lisse, vierge ou presque de toutes lignes fines : si de telles lignes y figurent, elles prennent généralement naissance sur les lignes qui déterminent le quadrangle, les lignes de tête et de cœur.

Ceux qui possèdent ce quadrangle idéal présentent de nombreuses qualités : un caractère calme, égal ; l'aptitude à prendre des décisions impartiales pour toutes les affaires

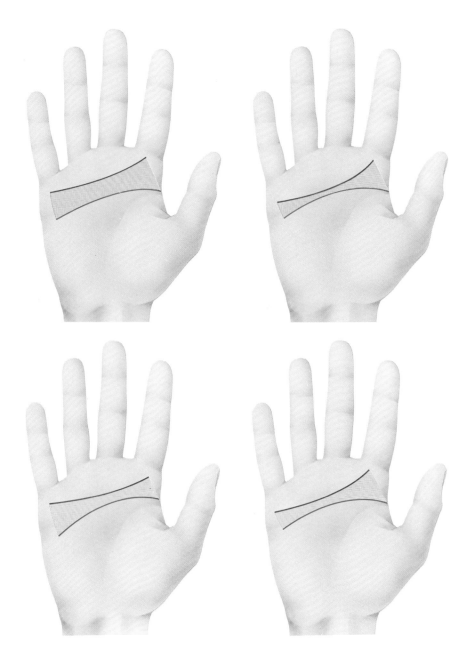

Idéalement, le quadrangle devrait être assez large aux deux extrémités et de forme égale (à l'extrême gauche). Assez large aux extrémités mais resserré au milieu (ci-contre), il indique une tendance aux préjugés.

Lorsque le quadrangle est large uniquement à l'extrémité proche du mont de Mercure (à l'extrême gauche), il dénote une personnalité indifférente à ce que les autres pensent ; à l'inverse, une étroitesse excessive à cette extrémité indique une personnalité trop soucieuse de sa propre réputation. Si le quadrangle est notablement plus large près du doigt de Saturne (ci-contre), il indique une personnalité tolérante durant sa jeunesse.

qui sont portées à leur attention ; des capacités intellectuelles marquées et une extrême fidélité envers leurs amis et ceux pour qui ils éprouvent un fort attachement sexuel ou sentimental.

Ce quadrangle doit être relativement large, mais pas trop, car, dans ce cas, en plus des qualités mentionnées, le sujet manifestera une largeur de vues excessive. Il excusera et tolérera chez les autres des conduites indignes et refusera absolument de condamner les attitudes religieuses, politiques et philosophiques les plus choquantes, s'efforçant d'être ouvert à tout et à tous.

Ce sujet peut aussi présenter une tendance à raisonner sans ordre ni logique ; il sera attiré par toutes les idées peu conventionnelles et porté à la témérité dans ses propos, ses réflexions et ses actes.

Le quadrangle raisonnablement large aux deux extrémités mais resserré au milieu indique un esprit encombré de préjugés, des décisions facilement injustes.

Lorsque l'extrémité du quadrangle située près du mont de Mercure (près de l'auriculaire) est large, il faut y voir le signe d'une personnalité peu sensible à l'opinion que les autres ont d'elle. A l'inverse, la même extrémité, très étroite, montre que le sujet se soucie excessivement de sa réputation ainsi que des pensées et des sentiments des autres à son sujet.

Lorsque le quadrangle est beaucoup trop large près du doigt de Jupiter (l'index) et très étroit à l'autre extrémité, le sujet sera large d'esprit et tolérant pendant sa jeunesse mais deviendra intolérant et esclave des conventions avec l'âge.

(Pages suivantes) Le docteur Syntaxe et son domestique se font lire les mains par des bohémiens. Une illustration de Thomas Rowlandson pour *La Deuxième Tournée du docteur Syntaxe en quête de consolation* de William Combe (1820).

8
Étoile, croix, carré et autres signes

L'étoile

L'étoile est facile à reconnaître mais difficile à décrire. Le mieux qu'on puisse dire est qu'il s'agit d'une conformation ressemblant à une étoile, présentant cinq, six, sept branches ou plus, qu'on retrouve n'importe où sur la paume, mais habituellement sur un des monts.

Les chiromanciens classiques attachaient beaucoup d'importance à ce signe; malheureusement, ils ne s'accordaient pas sur sa signification. Une minorité le considérait comme l'indication d'un danger prochain et d'une crise touchant aux aspects particuliers de la vie régis par le mont en question. La plupart, toutefois, le tenaient pour un signe exceptionnellement bénéfique; cette position a été adoptée par la quasi totalité des chiromanciens contemporains.

L'étoile de Jupiter

Une étoile sur le mont de Jupiter a deux significations selon son emplacement.

L'étoile sur le versant du mont proche du doigt de Jupiter (l'index) est le signe d'une personnalité ambitieuse qui rencontrera fréquemment des gens célèbres. Toutefois, le sujet ne trouvera pas la gloire pour son compte (à moins qu'elle ne résulte d'autres facteurs de la main) mais reflétera simplement la renommée des autres.

L'étoile située sur le sommet du mont, ou sur le versant éloigné du doigt de Jupiter, n'indique pas seulement de grandes ambitions, mais aussi que le sujet connaîtra la célébrité grâce à ses seules qualités. C'est surtout vrai lorsque les lignes de tête, de destinée et du Soleil sont fortes et bien marquées. Pareille combinaison est, en fait, la meilleure qu'on puisse trouver sur une paume et constitue un signe quasi infaillible de succès.

L'étoile de Saturne

Il fut un temps où les chiromanciens considéraient l'étoile de Saturne comme le signe d'un sort terrible menaçant le sujet. Ce n'est plus le cas. Les chiromanciens actuels tiennent cette étoile pour le signe d'une vie hors du commun, dramatique mais non désastreuse. Le sujet sera ambitieux et connaîtra la gloire et, peut-être, la richesse — mais pas au même point que le sujet bénéficiant d'une étoile de Jupiter.

L'étoile du Soleil

Comme pour l'étoile de Jupiter, la présence d'une étoile sur le mont du Soleil revêt deux significations.

L'étoile du Soleil reliée à la ligne du Soleil, implique que le sujet sera connu du public par un des arts. Toutefois, si l'étoile est isolée sur le mont du Soleil, le sens est le même mais la renommée ne sera pas aussi grande. Elle sera cependant accompagnée d'une belle réussite matérielle. Si l'étoile se situe sur le versant du mont proche du doigt du Soleil, ou sur celui-ci, le sujet sera en contact avec des gens riches et célèbres mais ne partagera pas nécessairement leur richesse et leur célébrité.

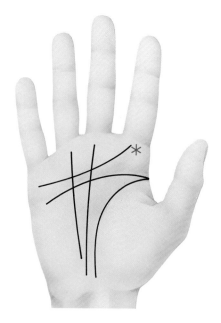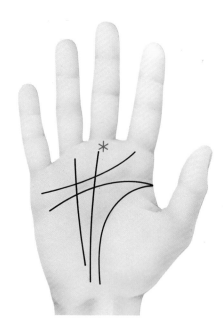

L'étoile de Jupiter (ci-contre) est une indication de célébrité selon son emplacement. L'étoile de Saturne (à l'extrême droite) présage une vie dramatique.

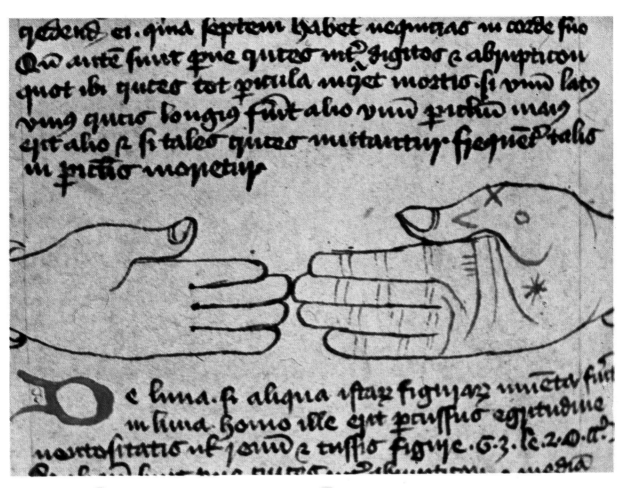

Etoile, cercle et croix figurés dans un manuscrit du XVe siècle appartenant à la bibliothèque bodléienne d'Oxford.

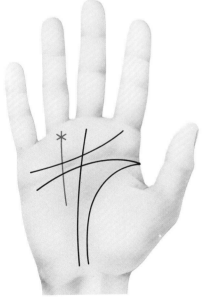

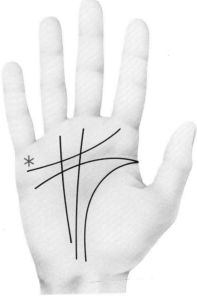

L'étoile du Soleil (à l'extrême gauche) a des significations différentes selon sa position. L'étoile de Mercure (ci-contre) indique une brillante carrière.

L'étoile de Mercure
Une étoile sur le mont de Mercure indique une brillante carrière. Dans quel domaine exactement ? Les autres facteurs de la paume devraient permettre de le découvrir. Le plus probable est que le sujet s'occupera d'études abstraites, spécialement les sciences physiques et les affaires financières.

L'étoile de Mars positif
Une étoile sur le mont de Mars positif — le mont situé au-dessous du mont de Jupiter, sous la ligne de vie et près du mont de Vénus (voir p. 56) — est tenue pour le signe d'un grand succès dans une activité martienne. Ce n'est pas nécessairement la guerre — une telle étoile a sa place dans la main d'un bril-

Etoile, croix, carré et autres signes

L'étoile de Mars positif dénote la réussite dans une carrière régie astrologiquement par Mars.

L'étoile de Mars négatif suggère que le succès sera le fruit de la patience et du courage moral.

L'étoile de Vénus (ci-contre) est un signe de succès en amour et dans la vie sociale. L'étoile de la Lune (à l'extrême droite) indique la réussite dans les matières relevant de l'imagination.

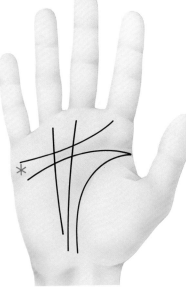

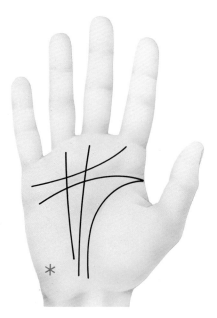

lant chef militaire ou d'un meneur d'hommes — mais tout ce qui tombe sous l'influence astrologique de Mars ; la sidérurgie ou l'organisation de grands rassemblements de masses, pas exemple.

L'étoile de Mars négatif
Une étoile sur le mont de Mars négatif — le mont situé entre les monts de Mercure et de la Lune — montre que la réussite, brillante, sera atteinte grâce aux qualités "passives" de Mars : la patience, le courage moral, le "cœur au ventre".

L'étoile de Vénus
Une étoile au centre du mont de Vénus, ou tout proche représente, comme toutes les étoiles, un signe de réussite éclatante. Dans ce cas, toutefois, le sexe, l'amour et les passions joueront un rôle dans ce succès. Cette étoile indique tout particulièrement — et cela s'applique aux mains féminines comme aux mains masculines — une vie amoureuse hautement satisfaisante, dans laquelle les rivalités amoureuses seront facilement surmontées.
Si l'étoile est située au bas du mont ou juste à l'écart de celui-ci, d'un côté ou de l'autre, cela signifie que le sujet rencontrera de nombreuses personnes qui, poussées par leurs passions, atteindront une brillante réussite, ou qui connaîtront elles-mêmes une vie amoureuse particulièrement réussie.

L'étoile de la Lune
Une étoile bien située sur le mont de la Lune est signe que la réussite viendra de l'utilisation de l'imagination, attribut de la connaissance lunaire — la connaissance instinctive qui jaillit de l'inconscient — et de ce puissant pouvoir que, dans le camp psychologique

opposé, on appelle la "rêverie". C'est particulièrement vrai lorsque la ligne de tête se termine bien à l'intérieur du mont de la Lune. Il est piquant de noter que, jusqu'au XVIIe siècle, les chiromanciens croyaient qu'une étoile sur le mont de la Lune indiquait la mort du sujet par noyade. Il est peu vraisemblable qu'un chiromancien sérieux accepte, de nos jours, cette interprétation et tout ce qu'elle suppose de fatalisme. L'idée naquit de la relation astrologique entre le Lune et l'eau et des rapports astronomiques entre la Lune et les marées.

L'étoile sur l'extrémité d'un doigt

Ce cas est traditionnellement compris comme le signe que tout ce qui est "touché" — c'est-à-dire tout projet sérieusement entrepris — sera remarquablement réussi. Dans l'interprétation d'une étoile de ce type (et cela vaut pour toutes les variétés d'étoiles), il faut se souvenir que la réussite annoncée par l'étoile ne sera atteinte que si les autres facteurs de la main *sont porteurs d'éléments plus favorables que défavorables*. Si ce n'est pas le cas, l'étoile (ou les étoiles) ne peut que compenser dans une certaine mesure les forces négatives d'une main par ailleurs défavorable.

La croix

La croix signifie exactement l'inverse de l'étoile. La croix est toujours signe de malheur, d'espoir déçu et d'ennuis. Mais, pas plus que l'étoile, elle ne doit être étudiée isolément par le chiromancien. Au contraire, elle doit toujours être prise en relation avec la conformation générale de la main ainsi qu'avec les lignes qui figurent sur la paume. Une main favorable tempérera ou annulera totalement les indications défavorables de la

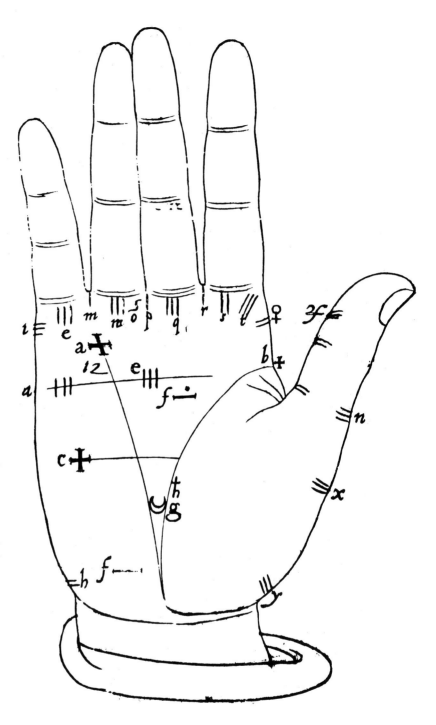

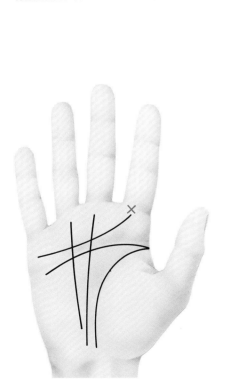

croix. A l'inverse, une main défavorable peut renforcer les caractéristiques défavorables généralement indiquées par une croix.

La croix de Jupiter

Malgré sa signification générale malheureuse, il existe une position de la croix qui non seulement n'est pas maléfique mais constitue une indication de bonheur : la croix située sur le mont de Jupiter. Là, elle prédit qu'à un moment de la vie du sujet, une grande et durable affection naîtra et qu'il n'en pourra sortir que du bien. Le sens et la force de la croix de Jupiter sont considérablement

Les croix du Soleil et de la Lune sur une gravure extraite de *L'Histoire de Deux Mondes* de Robert Fludd (1617).

La croix de Jupiter constitue le seul cas où la croix n'est pas un signe maléfique. Elle indique la survenance d'une grande et durable affection.

Etoile, croix, carré et autres signes

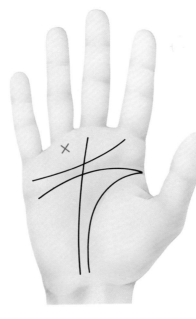

La croix de Saturne est le signe d'un caractère assez sombre et d'une tendance à se retirer du monde.

La croix du Soleil indique un manque de succès dans la réalisation des ambitions du sujet dans le domaine des arts.

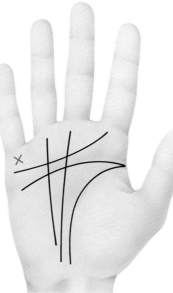

La croix de Mercure dénote un manque de succès dans les sciences ou les arts de la communication.

accrus lorsque la ligne de destinée commence sur le mont de la Lune ou tout contre. Bien des chiromanciens estiment que le moment exact de la vie où cette grande affection naîtra peut être décelé grâce à la position de la croix. Lorsque cette croix est proche du début de la ligne de vie, ce serait durant la jeunesse; proche du sommet du mont, au milieu de la vie; à la base du mont, près du doigt de Jupiter, plus tard encore. Mais ces calculs ne sont que des approximations.

La croix de Saturne

Une croix sur le mont de Saturne révèle un caractère sombre et dépressif qui incitera fréquemment le sujet à se retirer dans le silence et l'isolement, loin des contacts humains et amicaux. Cette retraite à l'écart du monde, ce refus égoïste de la nécessité de l'amitié et de l'amour conduiront à des déceptions et des ennuis.

Lorsqu'on étudie une croix de Saturne, il faut toujours se rappeler, comme pour les autres éléments de la main, que la chiromancie montre des *tendances* et non un destin inéluctable. Dès lors, le chiromancien qui découvre une croix de Saturne sur la main du sujet doit lui expliquer le sens de cette croix, lui signaler les ennuis qui l'attendent s'il laisse libre cours à cette introspection morbide, et lui faire comprendre l'importance qu'il y a pour lui de les éviter en rentrant volontairement dans le monde, de rencontrer des gens et lier amitié. Les mêmes considérations s'appliquent si tout autre forme de croix figure sur la main du sujet, comme on le verra aux paragraphes suivants.

La croix du Soleil

C'est l'indication que le sujet recherchera le succès dans des domaines liés à la beauté et aux arts mais qu'il lui sera totalement impossible de l'atteindre. Plus le sujet s'efforcera de trouver la gloire et la réussite financière, plus graves seront ses ennuis et ses déceptions.

La croix de Mercure

La croix de Mercure est un autre signe d'échec, d'ennuis et de déceptions. Ceux-ci peuvent résulter d'une tentative infructueuse menée dans les sciences ou une autre forme du savoir ou, pire, d'un acte frauduleux pratiqué pour construire trop facilement une fortune.

La croix de Mars positif

Cette croix dénote un caractère querelleur, violent, excessivement colérique et discuteur qui risque de nombreux ennuis provoqués par son agressivité.

La croix de Mars négatif

Une croix sur le mont de Mars négatif est le signe que de multiples ennuis naîtront de l'opposition maligne et délibérée d'autrui.

La croix de Vénus

Une grande croix fortement marquée située sur le mont de Vénus révèle qu'ennuis et difficultés viendront des sentiments du sujet pour une autre personne. Ces ennuis peuvent naî-

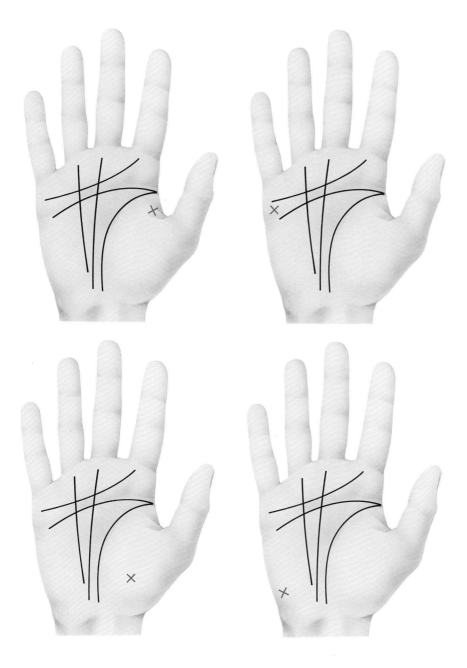

Les croix de Mars positif et de Mars négatif (à l'extrême gauche et ci-contre, respectivement) indiquent toutes deux des ennuis causés par la conduite même du sujet ou par l'opposition des autres.

La croix de Vénus (à l'extrême gauche) indique des problèmes d'ordre sentimental. La croix de la Lune (ci-contre) implique une imagination hyperactive.

tre d'un amour non partagé, de l'opposition et de la rivalité d'autrui, ou d'un amour éprouvé pour une personne non disponible ou trop mal assortie.

Une petite croix de Vénus, moins apparente, semble impliquer des disputes, des difficultés et des déceptions provoquées par les relations du sujet avec ses proches parents.

La croix de la Lune
C'est le signe d'une imagination débordante. Le sujet peut se mettre à mentir sans aucune raison — pour le seul et unique plaisir du mensonge. Ce sujet déçoit tout le monde, les autres et lui-même ; il croit profondément à ses mensonges. Inévitablement, la réalité des faits, la vérité, apparaissent finalement, les châteaux de cartes s'effondrent et les ennuis et problèmes surgissent immanquablement.

La croix sur l'extrémité d'un doigt
Le sujet qui présente cette croix aura tendance à se mêler de ce qui ne le concerne pas, tentera de lancer de nouvelles affaires alors qu'il lui manque l'expérience requise, et abandonnera perpétuellement une chose pour en entreprendre une autre. Laissées à elles-mêmes, ces tendances peuvent aboutir à un désastre.

Une croix sur l'extrémité d'un doigt indique une tendance au dilettantisme dans tous les domaines.

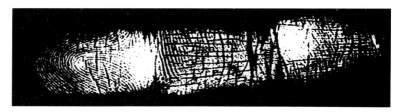

Etoile, croix, carré et autres signes

Un carré sur le mont de Jupiter indique une victoire sur les dangers résultant d'un excès d'ambition.

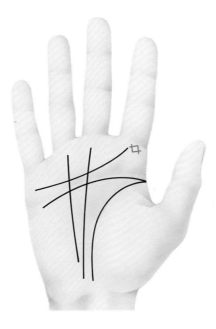

Le carré de la Lune
Un carré sur le mont de la Lune indique une certaine protection contre les dangers résultants d'une imagination débridée.

Les carrés présentent également un grand intérêt quand ils se trouvent sur les lignes majeures de la main.

Le carré situé sur la ligne de vie
Un carré sur la ligne de vie indique que le sujet, à un moment de sa vie, sera en danger de mort, mais que le danger disparaîtra et que le sujet trouvera la sécurité ou recouvrera la santé.

Le carré situé sur la ligne de tête
Ce carré signifie que le sujet, à un moment donné, sera en danger par excés d'attention

Le carré
Le carré a parfois été appelé "marque de protection" par les chiromanciens du siècle dernier parce qu'il était considéré, et l'est encore souvent, comme le signe d'un danger, mais danger surmonté et finalement bénéfique.

Le carré de Jupiter
Un carré sur le mont de Jupiter signifie que les dangers résultant d'une ambition excessive, d'un goût trop marqué pour la gloire et/ou la richesse, seront surmontés avec succès.

Le carré de Saturne
Un carré sur le mont de Saturne indique que les difficultés causées par un caractère beaucoup trop porté à l'introspection et à la solitude seront vaincues.

Le carré du Soleil
Un carré sur le mont du Soleil est le signe d'un danger venant d'une recherche excessive de la gloire et même de la notoriété. Ce danger sera surmonté.

Le carré de Mercure
Un carré sur le mont de Mercure avertit des dangers nés, soit d'un tempérament trop impatient, soit d'une concentration trop acharnée sur un domaine des sciences. Ce carré, comme les autres carrés, indique la source du danger mais aussi qu'il sera surmonté.

Le carré de Mars
Un carré sur le mont de Mars, positif ou négatif, révèle que les dangers venant de l'opposition ou de la mauvaise humeur d'autrui seront triomphalement vaincus.

Le carré de Vénus
Un carré sur le mont de Vénus indique que le danger venant, d'une manière ou d'une autre, des affections sera surmonté.

Un carré sur le mont de Saturne annonce que les tendances à la solitude seront vaincues.

Un carré sur le mont du Soleil est le signe que la recherche effrénée de la célébrité sera évitée.

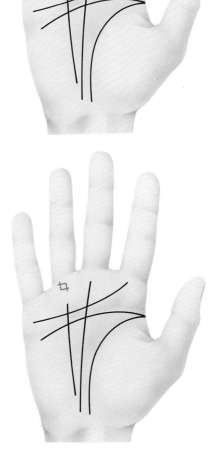

Des carrés sur le mont de Mars, positif ou négatif, signifient que le mauvais caractère ou la malveillance seront surmontés.

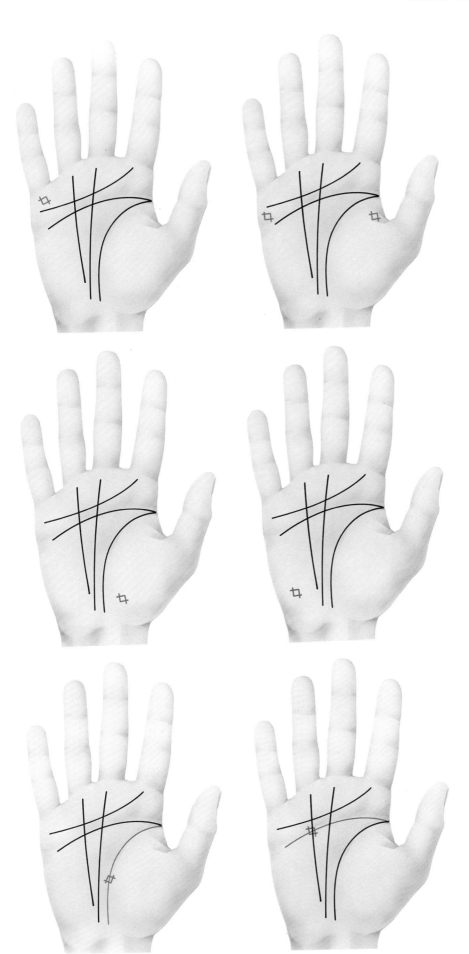

Un carré sur le mont de Vénus (à l'extrême gauche) indique que les problèmes sentimentaux seront écartés. Sur le mont de la Lune (ci-contre), un carré signifie une protection contre les abus d'une imagination débridée.

Un carré sur la ligne de vie (à l'extrême gauche) est le signe d'une victoire sur un danger mortel. Un carré sur la ligne de tête (ci-contre) indique des dangers mentaux victorieusement écartés.

Etoile, croix, carré et autres signes

portée au développement mental, ou sous l'effet d'un surmenage terriblement éprouvant pour l'esprit. Ce danger sera, bien sûr, surmonté comme l'indique le carré même.

Le carré situé sur la ligne de cœur
Ce carré indique des ennuis et des dangers, tous surmontés avec succès, provenant de la vie sentimentale du sujet.

Le carré situé sur l'anneau de Vénus
Ce carré a la même signification que celui de la ligne de cœur.

Le carré situé sur la ligne du Soleil
Ce carré indique que le sujet rencontrera des difficultés et des obstacles dans sa quête de la célébrité. En fin de compte, ces obstacles seront écartés, les difficultés aplanies.

Le carré situé sur la ligne de santé
Le sujet connaîtra une période de maladie mais ses énergies vitales seront finalement complètement reconstituées.

Le carré situé sur la ligne de destinée
Le sujet qui présente cette conformation inhabituelle verra contrecarrer, sans aucune faute de sa part, ses desseins les plus chers. Les obstacles, finalement, seront surmontés et le sujet, un moment gêné, pourra reprendre le cours de sa vie.

Iles, cercles et points
Les îles, cercles et points ne sont habituellement pas des signes bénéfiques ; ils sont considérés, de nos jours comme de peu d'importance par de nombreux chiromanciens. Toutefois, par souci d'être complet et pour ceux qui souhaitent connaître la chiromancie traditionnelle dans sa totalité, leur signification présumée sera donnée ci-dessous.

Le point est tenu pour le signe d'une maladie passagère. La nature exacte de la maladie est parfois révélée par la ligne sur laquelle figure le point. Ainsi, un point sur la ligne de tête

Un carré sur la ligne de cœur est le signe de dangers sentimentaux surmontés.

Un carré sur l'anneau de Vénus présente une signification similaire à celle d'un carré sur la ligne de cœur.

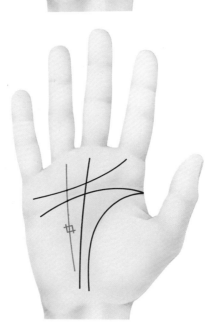
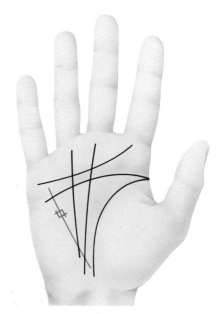

Un carré sur la ligne du Soleil (ci-contre) signifie que les obstacles seront écartés dans la quête de la gloire. Un carré sur la ligne de santé (à l'extrême droite) indique une guérison complète.

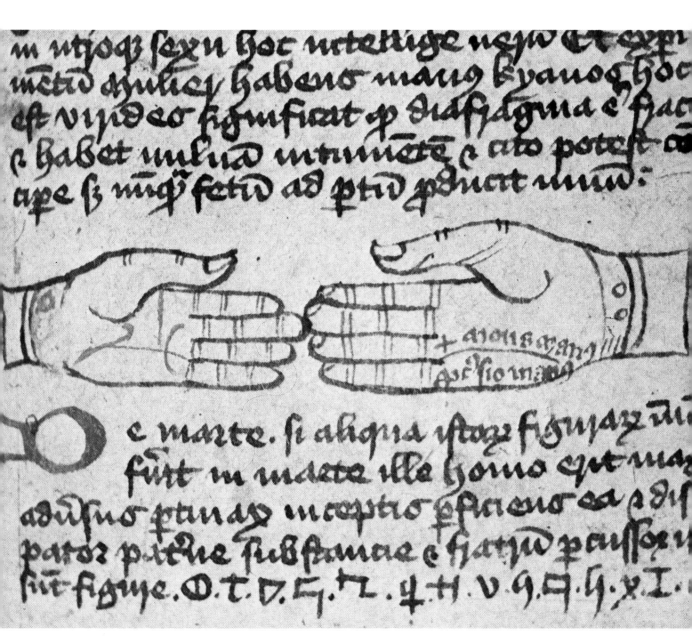

Des cercles sur les poignets et une croix du Soleil, autre illustration extraite d'un manuscrit du XVᵉ siècle appartenant à la bibliothèque bodléienne d'Oxford.

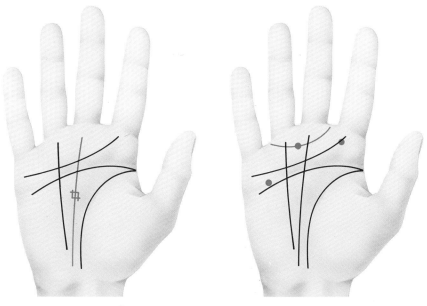

Un carré sur la ligne de destinée (à l'extrême gauche) est le signe que les obstacles extérieurs seront finalement carré surmontés. Les points (ci-contre) sont considérés comme des signes de maladies passagères.

Etoile, croix, carré et autres signes

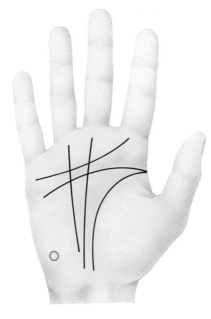

Un cercle sur la ligne de cœur ou sur le mont de Vénus signifie une insatisfaction dans les affaires sentimentales.

Un cercle sur le mont de la Lune indique un manque de succès dans tous les domaines mettant en œuvre l'imagination.

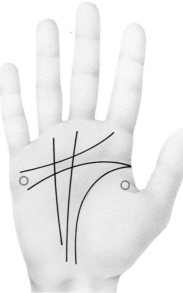

Un cercle sur l'un et l'autre des monts de Mars indique un manque de succès dans toutes les carrières régies par Mars.

devrait indiquer soit quelque maladie psychologique, soit, interprétation plus dircte, une blessure à la tête. De même, un point sur la ligne de cœur ou sur l'anneau de Vénus devrait trahir un déséquilibre affectif momentané.

On attache parfois une certaine importance à la couleur du point. Ainsi, un point rouge vif est considéré comme le signe d'une fièvre quelconque sauf s'il apparaît sur la ligne de tête, auquel cas il peut révéler soit une forme de délire, soit une maladie psychologique caractérisée par la surexcitation ou même la folie. Un point bleu, noir ou bleu-noir est censé indiquer les maladies psychologiques allant de la névrose à la schizophrénie aiguë. Le lecteur ne doit pas trop se tracasser s'il découvre de tels points sur ses mains. Beaucoup de chiromanciens ne leur prêtent aucune foi en tant que révélateurs d'un état de santé et nombreux sont les gens qui vivent avec des points noirâtres sur leur paumes sans jamais manifester la moindre trace de maladie mentale.

Le cercle est généralement tenu pour indiquer un manque flagrant de succès dans le domaine d'activité régi par l'endroit précis de la main où il se trouve. Ainsi, un cercle sur la ligne de cœur ou sur le mont de Vénus devrait trahir l'absence de réussite dans la vie sentimentale du sujet. De même, un cercle sur le mont de la Lune devrait représenter le manque de succès dans tous les domaines mettant en jeu l'imagination, et un cercle sur le mont de Mars positif ou négatif, dénoter pour le sujet une contre-indication professionnelle à faire carrière dans le métier des armes, la sidérurgie et tous les autres domaines régis par Mars. Il serait fastidieux de poursuivre l'énoncé de la signification des cercles figurant sur chaque ligne ou mont ; à ce stade, le lecteur devrait être à même de découvrir ces significations par lui-même. Cependant, il faut ajouter qu'il existe un cas où le cercle n'est pas regardé comme un signe défavorable : lorsqu'il se trouve sur le mont du Soleil, il indique une réussite éclatante.

L'île est aussi un signe défavorable. Elle est souvent censée se rapporter à une faiblesse génétique, désagrément que le sujet tient de ses ancêtres. Une île sur la ligne de tête, par exemple, est présumée indiquer quelque trouble mental congénital ou même une malformation congénitale de la tête. Dans la même optique, une île sur la ligne de cœur ferait supposer un déséquilibre affectif héréditaire et une île sur la ligne de santé, quelque faiblesse physique congénitale.

Lors même qu'elle ne se réfère pas à une hérédité déficiente, l'île reçoit de sombres significations de la chiromancie traditionnelle. Sur la ligne de vie, elle est le signe d'une maladie passagère, plus ou moins longue ; sur la ligne de destinée, elle indique de lourdes pertes financières ; sur la ligne du Soleil, une perte de situation et/ou d'influence à la suite d'un scandale.

Toute île sur un des monts est l'indication d'une déficience :

- Sur le mont de Jupiter, elle montre un défaut d'ambition.
- Sur le mont de Saturne, une malchance continuelle.
- Sur le mont du Soleil, elle étouffe les pulsions artistiques.
- Sur le mont de Mercure, elle indique l'anxiété ou la malhonnêteté.
- Sur le mont de Mars positif, la lâcheté physique.
- Sur le mont de Mars négatif, la lâcheté morale.
- Sur le mont de la Lune, le manque d'imagination.
- Sur le mont de Vénus, la faiblesse et l'inconstance de la vie sentimentale.
En bref, l'île est l'un des plus sombres présages qu'on puisse trouver sur la paume. Par bonheur, on l'a vu, la plupart des chiromanciens modernes ne la considèrent pas comme très importante, non plus que le cercle ni le point. Aussi n'y a-t-il aucune raison de se décourager si l'on trouve l'un ou l'autre de ces signes — ou les trois — sur sa paume ou sur celle d'un ami.

Les autres signes apparaissant parfois sur la main comprennent la grille, le triangle et la croix mystique.

La grille figure assez fréquemment sur la paume, presque invariablement sur l'un des monts. Sa signification dépend du mont sur lequel elle est situé :
- Une grille sur le mont de Jupiter indique une ambition démesurée et l'égotisme.
- Une grille sur le mont de Saturne, une personnalité sombre et solitaire.
- Une grille sur le mont du Soleil, la vanité et la recherche d'une gloire futile.
- Une grille sur le mont de Mercure, l'instabilité et même la malhonnêteté.
- Une grille sur le mont de la Lune, un désir morbide de domination des autres.
- Une grille sur le mont de Vénus, un sujet dont les affections sont rarement durables.

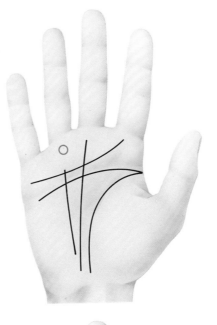

Un cercle sur le mont du Soleil présente une signification tout autre que partout ailleurs : il est le signe d'une réussite hors du commun.

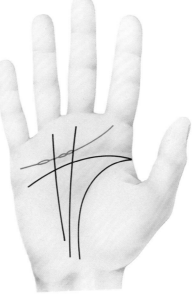

Une ligne de cœur comportant des îles dénote un déséquilibre émotionnel.

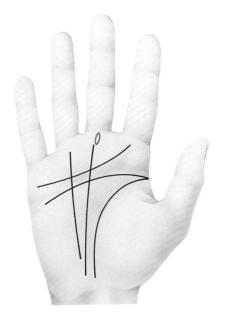

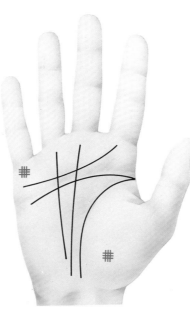

Une île sur le mont de Saturne (à l'extrême gauche) est le signe d'une malchance générale. Une grille (ci-contre), quelle que soit sa position, est toujours le signe de gros défauts caractériels.

Etoile, croix, carré et autres signes

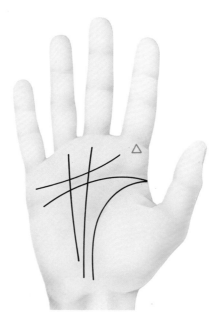

Un triangle sur le mont de Jupiter indique une puissante personnalité.

Un triangle sur le mont de Saturne présente une signification spéciale en matière d'occultisme.

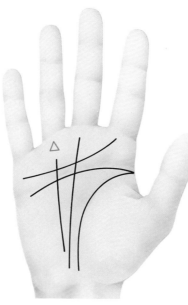

Un triangle sur le mont du Soleil est le signe de dons artistiques, spécialement pour la sculpture.

Le triangle, conformation normalement située lorsqu'elle est présente, sur un ou plusieurs monts, offre une signification nettement plus heureuse que la grille. Les sens traditionnels sont les suivants :

- Sur le mont de Jupiter, il indique une personnalité solide et forte, très douée pour diriger les autres et pour organiser toutes sortes d'événements.

- Sur le mont de Saturne, il a un sens occulte et mystique. Le sujet qui possède un triangle sur ce mont s'intéresse fortement à l'occultisme ; il a les aptitudes nécessaires pour aborder les aspects pratiques des sciences occultes, depuis la divination et les prédictions jusqu'à l'alchimie et la magie rituelle. Ce signe figurait sur le mont de Saturne de plusieurs occultistes célèbres, parmi lesquels Mme Blavatsky, l'adepte de la théosophie, et Aleister Crowley, le spécialiste de la magie noire.

- Sur le mont du Soleil, le triangle indique chez le sujet qui le porte un don certain pour les arts, surtout les arts plastiques comme la sculpture. Le triangle, si le reste de la main favorise une carrière artistique, indique que le sujet, voué à l'art, connaîtra une réelle réussite et que, malgré son succès, il restera modeste, aimable et totalement dénué de cette arrogance particulière qui accompagne parfois le génie artistique.

- Un triangle sur le mont de Mercure est le signe certain d'une réussite financière, réussite issue, bien souvent, de la fréquentation assidue des sciences, de la littérature, ou d'un des divers arts de communication.

- Sur l'un ou l'autre des monts de Mars, un triangle dénote le courage, le calme dans les situations tendues et le sang-froid en général. C'est aussi l'indication certaine de la réussite dans le métier des armes ou dans un domaine régi par Mars.

- Un triangle sur le mont de la Lune révèle une personnalité qui connaîtra le succès grâce à son imagination. Le sujet pourrait fort bien être un écrivain de science-fiction ou de romans dits de cape et d'épée.

- Sur le mont de Vénus, le triangle indique une vie sentimentale heureuse.

Le trépied et le fer de lance ont des significations similaires à celles du triangle, mais les effets sont plus puissants. Ils sont illustrés sur la page suivante.

La croix mystique se trouve quelque part dans le quadrangle. Ce signe montre un don particulier, doublé d'un intérêts pour l'occulte et le mystique. La croix mystique touchant la ligne de destinée ou une de ses ramifications, ou partiellement formée par celles-ci, veut dire que le sujet aurait avantage à consacrer sa vie aux choses occultes et mystiques.

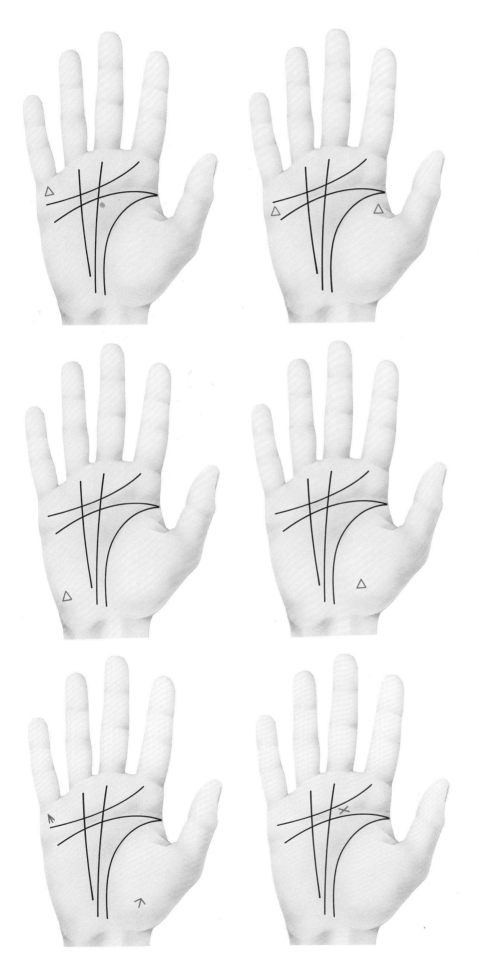

Un triangle sur le mont de Mercure indique la réussite financière (à l'extrême gauche). Sur l'un et l'autre des monts de Mars (ci-contre), le triangle signifie courage et tranquillité.

Un triangle sur le mont de la Lune (à l'extrême gauche) suggère le succès dans la littérature d'imagination. Un triangle sur le mont de Vénus (ci-contre) signifie une vie sentimentale heureuse.

(A l'extrême gauche) Le trépied et le fer de lance, deux signes dont la signification est plus puissante que celle du triangle.
(Ci-contre) La croix mystique.

9
La prise d'empreintes de paumes

Le lecteur de cet ouvrage devrait maintenant être qualifié pour lire ses propres mains ou celles de ses amis et connaissances. Pour ce faire, qu'il s'assure qu'une lumière abondante tombe sur la main qu'il examine : le moment idéal est le début de la matinée. Ceci non parce qu'il y aurait une qualité spéciale dans la lumière du matin — un éclairage artificiel puissant convient parfaitement — mais parce que les lignes de la main apparaissent souvent plus clairement, se détachant sur le reste de la paume, en début de journée.

A bien des égards, il est toutefois plus facile d'étudier les paumes à partir d'empreintes que de lire les mains directement. Cela tient en partie au fait que le moment où l'empreinte est prise n'a aucune importance, en partie aux contrastes marqués d'une empreinte qui révèlent nettement les lignes les plus fines susceptibles d'échapper complètement à l'examen. Autre avantage des empreintes, elles permettent de constituer un dossier permanent des mains à des moments divers. Des mois ou des années plus tard, lors d'un nouvel examen, les changements et les développements qui peuvent s'être produits au cours de la période écoulée seront aisément discernés. Ce qui présente une certaine importance, car la plupart des chiromanciens considèrent que les changements intervenus dans la conformation des lignes de la paume sont le reflet des mutations intérieures. A mesure que le sujet développe son esprit et son âme, que le caractère se transforme et mûrit, que le sujet use de sa libre volonté pour modifier sa vie, ces altérations vont se refléter dans ces "miroirs psychiques" que sont les mains.

Par ailleurs, le sujet qui se fait lire les mains est presque toujours satisfait qu'on lui demande de tirer deux jeux d'empreintes — l'un pour le dossier du chiromancien, l'autre qu'il emportera chez lui, conservera et, peut-être, tentera d'interpréter à l'aide d'un livre sur la chiromancie.

Il faut le noter, c'est une particularité de l'âme humaine, la plupart des gens réagissent d'instinct à la vue des empreintes de leurs mains comme lorsqu'ils entendent pour la première fois un enregistrement de leur voix ; de la même manière qu'ils s'exclament : "C'est *vraiment* ma voix, cela ?", ils s'étonnent devant les premières empreintes de leurs paumes : "Ce sont *vraiment* mes mains ?"

Pour prendre des empreintes, il suffit d'un tube d'encre pour empreintes digitales, d'un rouleau, de préférence suffisamment large pour encrer la main en une fois — on n'aime guère consacrer plus de temps qu'il n'en faut à cette opération salissante — et d'une feuille de papier glacé d'assez grand format. L'encre et le rouleau encreur s'achètent dans n'importe quel magasin spécialisé en maté-

riels pour artistes et le papier machine format A4 convient parfaitement.

Seul autre objet nécessaire, quelque chose sur quoi étaler l'encre ; un vieux morceau de verre assez grand, une assiette, ou une palette de peintre suffiront amplement.

Etalez l'encre sur votre "palette", faites aller et venir le rouleau jusqu'à ce qu'il soit entièrement, mais légèrement, couvert d'encre. En même temps, demandez au sujet d'enlever tous les objets qu'il porte aux mains et aux poignets et qui pourraient troubler l'empreinte — bracelets, montre-bracelet, bagues, etc. — et de rouler ses manches de chemise.

Appliquez le rouleau sur les doigts et la paume du sujet jusqu'au-delà du poignet pour que l'empreinte comprenne les bracelets. Placez la main encrée, *aussi plate que possible,* sur une feuille de papier déposée sur une table ou un autre support rigide, et pressez-la doucement, en évitant de la faire glisser afin d'éviter les bavures.

Si l'empreinte est trop pâle, répétez l'opération en ajoutant un peu d'encre; si l'empreinte est trop noire et si l'une ou l'autre ligne est empâtée, employez moins d'encre. Il vaut mieux, en fait, essayer d'abord sur vos mains, avant de traiter celles des autres. De la sorte, vous acquerrez rapidement le coup de main nécessaire pour appliquer juste la dose d'encre nécessaire pour obtenir une empreinte de paume claire, sans bavure et lisible.

Les seules exceptions sont : (a) lorsque le sujet possède une peau excessivement sèche et (b) une paume anormalement creuse ou un mont de Vénus particulièrement grand.

Dans le premier cas, les empreintes tendent à être mouchetées — l'encre adhère aux parties les plus sèches, laissant sur l'empreinte des îlots blancs irréguliers. Dans le deuxième cas, le résultat est encore pire, car il présente un énorme vide au milieu de la main.

Lorsque le problème est dû à une peau sèche, la solution est simple. Demandez au sujet de se laver les mains à l'eau chaude et au savon, saupoudrez les mains de talc ou d'une de ces poudres spéciales employées après le bain pour les bébés, enlevez l'excès de poudre, appliquez l'encre comme d'habitude et prenez l'empreinte. Le résultat sera toujours satisfaisant; s'il ne l'était pas, procédez à la lecture directe de la main du sujet plutôt que de continuer vos tentatives infructueuses et embarrassantes.

Si le problème vient de l'espace blanc qui apparaît au milieu de la paume à cause d'une concavité excessive ou d'un mont de Vénus exceptionnellement développé, il existe deux manières de résoudre la question.

La première consiste à placer la main du sujet sur le papier glacé de la façon habituelle et à lui demander de presser le dos de la main à imprimer aussi fort que possible à l'aide de son autre main. Il est préférable que le sujet procède par lui-même plutôt que de le faire à sa place car cette opération peut lui faire assez mal si la pression est forte : votre "vic-

En 1530, Henry VIII publia un décret contre "des gens étranges qui se font appeler Égyptiens (..) qui sont venus dans ce royaume et sont allés de comté en comté en grand équipage, et ont employé des moyens subtils et habiles pour tromper les gens, prétendant pouvoir, par la chiromancie, prédire la fortune des hommes et des femmes, et souvent, par habileté et subtilité, ont trompeusement pris leur argent et ont aussi commis de nombreux crimes atroces et des brigandages". Malgré les tracasseries sans nombre, les bohémiens ont continué à exercer leur métier, comme le montre cette peinture du XVIIe siècle.

La prise d'empreintes de paumes

time" sait exactement ce qu'elle peut supporter, et vous l'ignorez!

Si cela ne donne pas de résultat, il existe une autre méthode que certains chiromanciens considèrent comme satisfaisante.

Demandez au sujet, comme auparavant, d'appliquer sa main encrée sur le papier et d'appuyer sur le dos de la main avec l'autre. Ensuite, glissez *votre* main entre le papier et la surface rigide sur laquelle il repose. Cela demande la coopération du sujet qui doit réduire la pression qu'il exerce sur sa main; aussi, expliquez-lui bien ce que vous essayez de faire. Lorsque vos doigts se seront glissés sous la main jusqu'au centre de la paume, poussez doucement le papier dans le creux de la main, et appliquez-le avec l'index. Ecartez de la feuille la main du sujet. Il doit en résulter une empreinte parfaite. Il faut ajouter, cependant, que : (a) certains chiromanciens sont incapables d'obtenir de bons résultats avec cette méthode, (b) que la concavité de certaines mains est telle que l'empreinte est déformée ou couverte de bavures au point qu'il est impossible d'en tirer une lecture satisfaisante. Dans ces deux cas, la seule solution est de procéder à la lecture directe de la paume.

Si vous êtes amené à prendre des empreintes et à les interpréter à un moment inattendu, si vous êtes loin de votre matériel, vous pouvez obtenir une empreinte tout à fait satisfaisante en enduisant la main de crème à maquillage ou, ce qui est plus facile à trouver, de rouge à lèvres. Ensuite, appuyer la main sur une feuille de papier, de la manière habituelle. Cette méthode peut s'appliquer à votre propre main; elle est utile pour l'apprentissage. Une dernière façon de procéder consiste à utiliser du papier photographique ou de reprographie utilisant un révélateur. La main du sujet doit être couverte de révélateur, puis appliquée sur le papier sensible. Une chambre noire est superflue dès lors que le papier doit être exposé à la lumière et fixé dès que les détails sont parfaitement discernables.

Une vieille bohémienne étudie la main d'un élégant jeune homme : illustration d'une des *Fables* de La Fontaine, *Les Devineresses* (1775).

10
Voyage, argent et accidents

Déplacements et longs voyages

Trouve-t-on l'indication de déplacements et de longs voyages dans la main des sujets destinés à les entreprendre ? A cette question, la chiromancie répond par un "oui" sans équivoque.

Il existe trois indications très différenciées :
(1) De grosses lignes sur le flanc du mont de la Lune.
(2) De petites lignes fines se détachant de la ligne de vie et l'accompagnant.
(3) La ligne de vie se divise, une branche dirigée vers le mont de Vénus, l'autre vers le mont de la Lune. Cela indique quelque bouleversement dans la manière de vivre du sujet ; ce pourrait être l'émigration dans un pays étranger, sans doute le plus grand changement possible.

Les changements indiqués par les signes du point (2) — de fines lignes se détachant de la ligne de vie mais suivant approximativement la même direction — sont d'une autre nature, plus importante, que ceux exprimés par de grosses lignes sur le mont de la Lune et concernent donc les grands voyages. Les lignes du mont de la Lune indiquent des déplacements plus courts ; toutefois les lignes allant des bracelets jusqu'au mont de la Lune, sont le signe de voyages plus longs. Des changements marqués sur la ligne de destinée, à hauteur des lignes provenant des bracelets, montrent que les voyages annoncés modifieront profondément la destinée du sujet. Toutefois, lorsque la ligne de destinée ne se transforme pas à cet endroit, il en ressort que les voyages envisagés n'apporteront pas de bouleversements dans la vie du sujet. La ligne de voyage partant des bracelets et se terminant par une petite croix signifie que le voyage en question s'achèvera d'une manière quelque peu décevante. Terminée par un carré, elle indique qu'un danger, dont le sujet sortira indemne, apparaîtra au cours du trajet. Par une île, elle veut dire, traditionnellement, que le voyage aboutira à une perte quelconque, généralement financière.

Cas rare, la ligne de voyage traversant la paume tout entière et se terminant sur le mont de Jupiter, signifie que le voyage sera productif et apportera beaucoup de bonheur au sujet. L'inverse est hautement probable lorsque la ligne de voyage aboutit sur le mont de Saturne. L'influence des monts explique le caractère de toute ligne de voyage qui se termine sur un mont. Ainsi, une ligne de voyage s'achevant sur le mont du Soleil est promesse de richesse et même de gloire à la suite d'un voyage. Une ligne de voyage aboutissant sur le mont de Mercure garantit un bonheur inattendu, fruit d'un déplacement.

Les grosses lignes de voyages du mont de la Lune continuant au-delà du mont et rencontrant la ligne de destinée, sont le signe de voyages importants, d'un très grand intérêt personnel. C'est particulièrement vrai lorsque ces lignes de voyages se terminent sur la ligne de destinée : dans ce cas, elles dénotent de grands bénéfices à tirer des voyages.

Tout carré sur une ligne de voyage est signe de danger — mais d'un danger victorieusement surmonté (le carré, on l'a vu, est un signe de protection). Un autre type de danger apparaît lorsque la ligne de voyage rencontre la ligne de tête : le voyage en question pourrait conduire à des problèmes psychologiques, probablement momentanés.

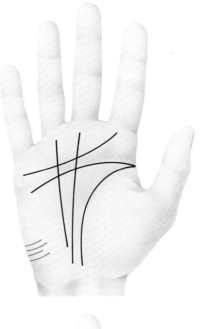

De grosses lignes sur le mont de la Lune sont l'indication de courts déplacements, à moins qu'elles n'atteignent le mont de la Lune en partant des bracelets.

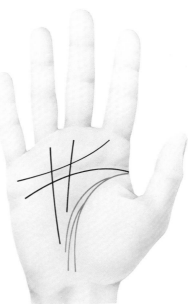

De fines lignes qui se séparent de la ligne de vie mais l'accompagnant dénotent généralement de grands voyages.

Voyage, argent et accidents

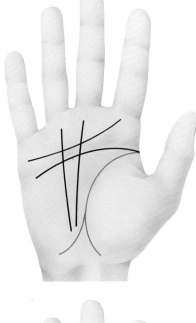

La ligne de vie divisée, une branche partant vers le mont de Vénus, l'autre vers le mont de la Lune, indique un grand bouleversement dans la vie du sujet, tel l'émigration.

Une ligne partant du mont de Vénus et se dirigeant vers le mont de Jupiter est un signe de bonheur en matière financière.

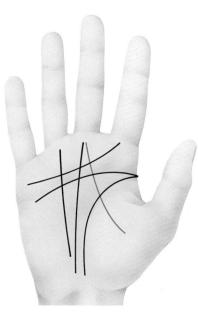

Une ligne partant du mont de Vénus et se dirigeant vers le mont de Saturne est considérée comme le signe de l'argent acquis par héritage.

Argent

L'argent est bien le sujet sur lequel la pratique interroge le plus fréquemment le chiromancien, qu'il soit amateur ou professionnel. Comme on l'a vu en traitant de la forme générale de la main, des monts, des lignes et autres marques de la paume, il existe toutes sortes de considérations affectant les probabilités de réussite ou d'échec financier d'un sujet. Parfois, cependant, on peut donner une réponse rapide à cette question en examinant en détails le mont de Vénus.

Une ligne partant du mont de Vénus en direction du mont de Jupiter et se terminant sur lui ou tout près est le signe d'un grand bonheur dans les questions d'argent. Si cette ligne s'achève par une étoile, ce bonheur sera considérablement accru.

Une ligne partant du mont de Vénus en direction du mont de Saturne et se terminant sur lui ou tout près constitue également un signe favorable. Il est probable que l'argent viendra d'un héritage ou de parents ou amis âgés.

Si une ligne partant du mont de Vénus rejoint la ligne du Soleil et poursuit sa route à ses côtés, l'indication est très proche de celle d'une ligne se dirigeant vers le mont de Saturne. Cependant, si la ligne, après avoir touché la ligne du Soleil, continue au-delà — c'est-à-dire qu'elle coupe en deux la ligne du Soleil —, la signification est exactement inverse : les parents et amis âgés prendront des mesures qui devraient aboutir à un désastre financier pour le sujet. Le sens d'une ligne partant du mont de Vénus et coupant les lignes de destinée et de vie est assez semblable.

Une ligne d'argent partant du mont de Vénus vers le mont de Mercure est l'indication d'une réussite financière qui naîtra probablement de la spécialisation dans une des branches du savoir, des affaires financières au sens strict du terme ou de l'étude des livres. C'est aussi le signe que les activités d'amis et de parents auront des résultats heureux.

Accidents

Les traditions de la chiromancie affirment que les accidents passés et à venir sont indiqués par une trace sur la paume. Il en existe plusieurs manifestations.
Si une île apparaît sur le mont de Saturne, si de cette île part une ligne qui remonte la paume jusqu'à rejoindre la ligne de vie, un danger sérieux a été ou sera couru. (Pour estimer l'époque de la vie où cet accident menace de se produire, voir la section suivante "Temps".)

Lorsqu'une ligne issue d'une île située sur le mont de Saturne se termine par une petite croix, attachée à la ligne ou séparée d'elle par un très petit espace, elle prédit un accident grave, survenant près du sujet qui en réchappe. Lorsque cette ligne commence non sur le mont de Saturne mais à sa base, on

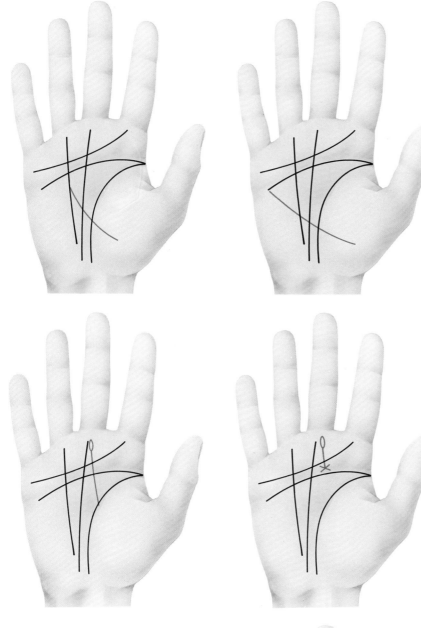

Une ligne qui part du mont de Vénus et rejoint la ligne du Soleil (à l'extrême gauche) est également le signe de l'argent acquis par héritage ; mais, si elle coupe en deux la ligne du Soleil (ci-contre), elle signifie une perte financière due à l'intervention de parents âgés.

Indication d'un danger grave provoqué par un accident : une île sur le mont de Saturne, reliée par une ligne à la ligne de vie (à l'extrême gauche). La ligne terminée par une petite croix (ci-contre) signifie un accident tout près du sujet mais ne l'atteignant pas.

estime traditionnellement que l'accident a (ou aura) pour cause ou pour objet un ou plusieurs animaux.

Toute ligne droite reliant le mont de Saturne à la ligne de vie est révélatrice d'un accident quelconque ; il est, toutefois, très improbable que l'accident soit grave, à moins que la ligne ne commence en forme d'île sur le mont de Saturne.

Les accidents psychologiques — tant ceux qui mènent à une forme de choc mental que ceux qui trouvent leur origine dans une prédisposition aux accidents ou à un autre trouble psychologique — ressortissent à la ligne de tête.

Une ligne partant d'une île sur le mont de Saturne et coupant la ligne de tête indique une sérieuse commotion cérébrale ou un accident grave résultant de causes psycholo-

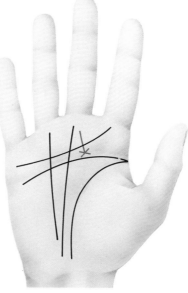

Lorsque la ligne prend naissance à la base du mont de Saturne, l'accident mettra en cause un animal.

Voyage, argent et accidents

Toute ligne partant du mont de Saturne indique un accident quelconque.

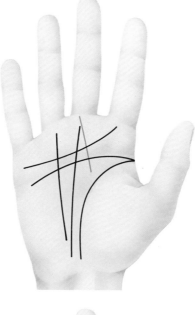

giques. Cette ligne, se terminant par une croix, est le signe que le même accident se produira mais que le sujet en sortira sans dommage. De même, une ligne partie du mont de Saturne et coupant la ligne de tête, mais ne commençant pas par une île, dénote un choc psychologique mineur ou un accident résultant de causes psychologiques.

Enfin, quant aux accidents, il faut préciser que nombre de chiromanciens modernes n'admettent pas qu'ils soient indiqués dans la paume et n'attachent aucune importance aux lignes issues du mont de Saturne — aussi ne faut-il pas trop s'inquiéter si l'on découvre de telles lignes dans ses mains.

Temps

Il faut dire, tout d'abord, qu'un certain nombres de chiromanciens modernes rejettent la possibilité de lire dans la main autre chose

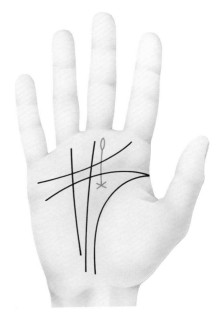

Une ligne, partie d'une île située sur le mont de Saturne et coupant la ligne de tête, est le signe d'une grave commotion (ci-contre) ; si elle se termine par une croix (à l'extrême droite), le sujet en sortira indemne.

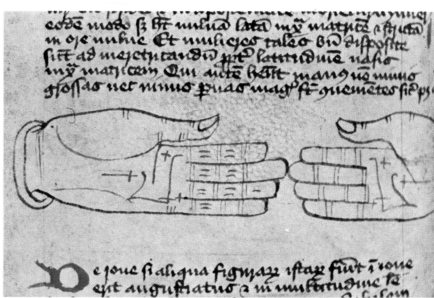

Lignes se terminant par une croix dans la paume des deux mains : illustration extraite d'un des tout premiers manuscrits traitant de chiromancie appartenant à la bibliothèque bodléienne d'Oxford.

qu'une estimation grossière de la date d'un événement donné. Ils affirment, par exemple, que si une croix se trouve sur la première partie de la ligne de vie, elle indique un événement situé dans la jeunesse du sujet ; sur la partie médiane, un événement du milieu de la vie, et ainsi de suite. D'autres chiromanciens, toutefois, pensent que les événements passés ou futurs peuvent être datés à une ou deux années près. Malgré cette prétention à la précision, il faut admettre qu'il existe plusieurs méthodes de calcul du temps et qu'elles donnent des résultats très différents.

Deux méthodes de mesure du temps sont couramment utilisées. La première, employée par Cheiro et ses disciples, passés et présents, est, en définitive, fondée sur les propriétés occultes présumées du chiffre 7. Les fervents de ce système se réfèrent à la "loi du sept" et font observer que ce chiffre apparaît très fréquemment en matière d'occultisme et de religion. Ils avancent, par exemple, les sept sceaux de *L'Apocalypse,* les sept divinités majeures de la religion classique, les sept enfers de la *Kabbale,* les sept jours de la semaine et les sept couleurs visibles du spectre.
Ce système septuple permettant de trouver les dates est applicable à toutes les lignes de la main mais il est surtout utilisé pour les lignes de destinée et de vie. On verra sur le graphique comment il fonctionne en pratique pour ces lignes ; il est, bien sûr, facilement adaptable pour les autres lignes, spécialement celles du Soleil et du cœur.
L'autre système communément employé est le système sextuple mis au point par le chiromancien Desbarolles. On verra son application à la ligne de vie sur le graphique ; il peut être adapté sans difficulté aux autres lignes de la main.

Aujourd'hui, la chiromancienne Jo Richardson utilise cette méthode et en a donné une description utile pour sa mise en pratique.
En bref, elle emploie un fil de coton blanc pour mesurer la ligne de vie, depuis le bord de la main jusqu'à son extrémité sur les bracelets. Si la ligne de vie se termine avant les bracelets, elle est prolongée jusqu'au point virtuel où elle les aurait rencontrés. Le fil est ensuite coupé à mesure à l'aide d'une paire de ciseaux.
Le fil est alors plié en deux ; une marque est faite à mi-longueur. Ce point est considéré comme représentant la trentième année de la vie du sujet, et les deux extrémités du fil, le jour de la naissance et celui de son soixante-dixième anniversaire. La première moitié du fil — les trente premières années — est divisée en cinq sections égales représentant les années 0-6, 6-12, 12-18, 18-24, 24-30.
Le fil de coton est ensuite appliqué sur l'empreinte — ou directement sur la paume — et les marques qui annoncent divers événements peuvent ainsi être datées avec une bonne précision.
Cette méthode vaut également pour la ligne de destinée et pour les autres lignes de la main.

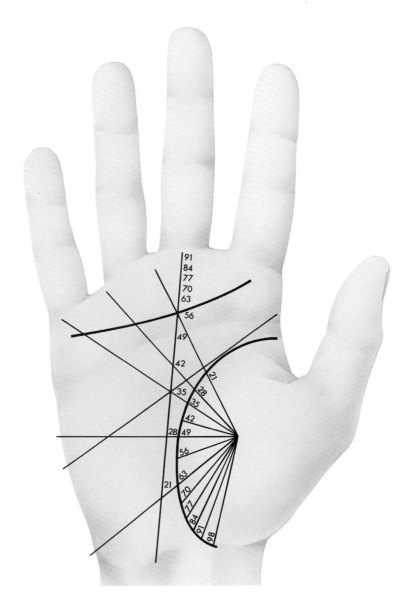

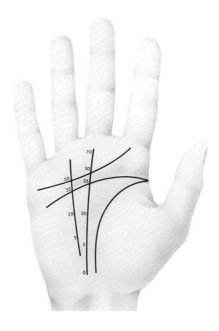

Le système en sept points de Cheiro pour le calcul des dates grâce à la subdivision des différentes parties de la paume. Cette méthode est généralement appliquée à la ligne de destinée (comme sur le schéma ci-dessus) mais elle est également applicable à la ligne du Soleil et à la ligne de cœur, comme le montre le dessin ci-contre.

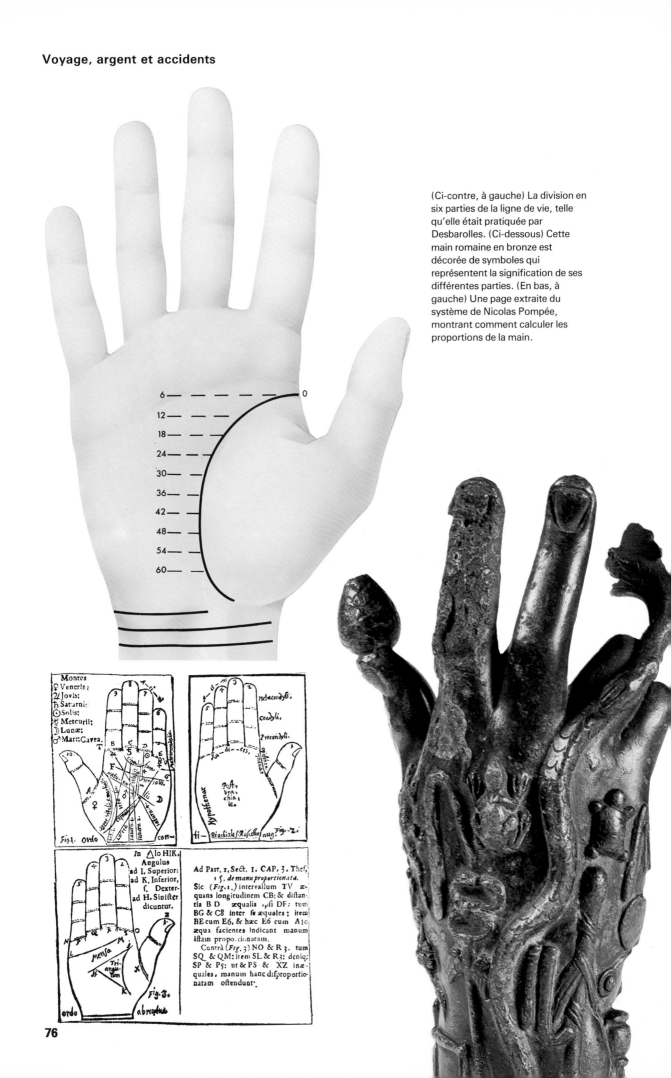

(Ci-contre, à gauche) La division en six parties de la ligne de vie, telle qu'elle était pratiquée par Desbarolles. (Ci-dessous) Cette main romaine en bronze est décorée de symboles qui représentent la signification de ses différentes parties. (En bas, à gauche) Une page extraite du système de Nicolas Pompée, montrant comment calculer les proportions de la main.

11
Quelques cas d'espèce

Exemple 1

D'après la classification de la main par éléments (voir chapitre 2), voici un bel exemple de main attribuée à l'Eau. C'est une main exceptionnellement délicate et fine ; la paume et les doigts se distinguent par leur longueur et par leur relative étroitesse. Il faut noter le fin réseau de lignes, tout à fait caractéristique de la main d'Eau.

Au vu de cette main, on attend un sujet extrêmement sensible et susceptible de brusques changements d'humeur, quelque peu inconstant dans ses idées et dans sa conduite, apte à refléter — une qualité de l'Eau — les humeurs et les comportements de ceux qu'il rencontre. C'est, avant tout, une main féminine (en fait, c'est une main de femme), mais un homme qui posséderait une telle main présenterait certaines caractéristiques généralement considérées comme féminines, la réceptivité notamment.

Cette analyse est renforcée par la méthode de classification des mains en huit points planétaires (étudiée au chapitre 6). D'après celle-ci, cette main est presque une main de Vénus parfaite : le mont de Vénus est très développé, couvert de "rayons" — de lignes très fines — et la ligne de destinée se prolonge en ramifications jusque sur le mont de Vénus. Notons aussi que, par rapport au reste de la main, le pouce est assez court et épais, caractéristique de la conformation vénusienne.

Le chiromancien devine, là, une personne extrêmement féminine, qui passe d'un extrême à l'autre, connaît de multiples affections, s'occupe des arts, et dont le mariage est soit parfaitement heureux, soit absolument désastreux.

Il faut remarquer que l'analyse de cette main par la méthode en huit points ne contredit aucunement l'examen par le système "élémentaire" en quatre points. Les deux analyses se complètent et se renforcent l'une l'autre. Il est clair ainsi que ces modes de classifications — cela vaut pour les autres systèmes — ne sont pas tant rivaux que frères, s'épaulant mutuellement et jetant un nouvel éclairage sur les mêmes problèmes.

Les lignes de la main appuient-elles les conclusions tirées de l'aspect général de cette main ? Sans aucun doute.

La position de la ligne du Soleil est intéressante. Elle commence — pour autant qu'on puisse le discerner dans un tel réseau de lignes — quelque part dans la région du mont de la Lune, signe d'intérêt pour l'art surtout quand il requiert de l'imagination. C'est un bon début mais la ligne est faible et mal formée, et vient mourir sur le mont de Saturne. Cette conformation de sombre allure indique que le sujet restera un dilettante dans le domaine des arts et ne leur devra aucune célébrité durable.

Le lecteur notera aussi la façon dont la ligne de destinée se divise en de multiples ramifications et s'affaiblit vers son extrémité — le signe d'une vie vécue sans but réel, sans véritable objectif, une vie variée et manquant d'un grand dessein.

A remarquer également la forme curieuse de la ligne de cœur, pleine d'îles et de chaînes ; ce n'est pas le signe d'une vie amoureuse réussie. Notons aussi la manière dont la ligne de cœur part du mont de Saturne ; c'est l'indication traditionnelle de puissantes pulsions sexuelles, d'une personne dont l'amour est rarement détaché de la sexualité, d'un certain égoïsme, spécialement perceptible dans les affaires sentimentales.

Autres points intéressants, l'anneau de Vénus brisé et distordu, et l'étrange ligne de

Exemple 1 : la main d'une princesse de la maison de Bourbon.

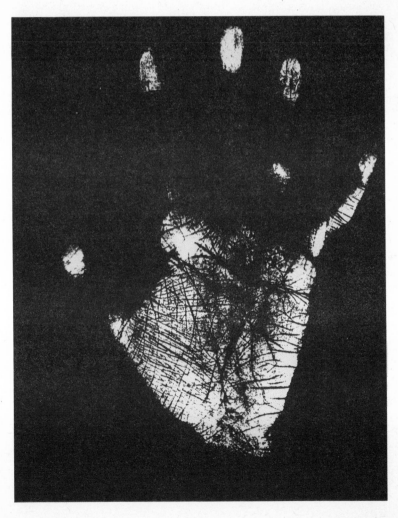

mariage, inclinée à la base du doigt de Mercure.

Toutes les indications données ci-dessus sont conformes à la vie du sujet concerné. C'était une princesse de la maison de Bourbon-Anjou, une tante du roi d'Espagne Alphonse XIII (1886-1941), et, dans sa jeunesse, l'avenir lui était ouvert. Elle manifesta quelques dons pour la peinture et la littérature d'imagination (rappelons-nous la ligne du Soleil sortant du mont de la Lune) et certains talents musicaux; elle hérita d'une grosse fortune. Au cours de sa vie, cependant, elle ne fit jamais rien. Elle était totalement incapable de se concentrer sur un sujet et passa son temps plongée dans les aventures financières, amoureuses, artistiques, ce qui lui coûta une bonne partie de sa fortune, conduisit à l'échec de son mariage, et la déshonora aux yeux des autres familles royales européennes.

Autrement dit, sa vie confirme pleinement les caractères indiqués par la forme et les lignes de sa main.

Exemple 2 : la main du général Sir Redvers Buller.

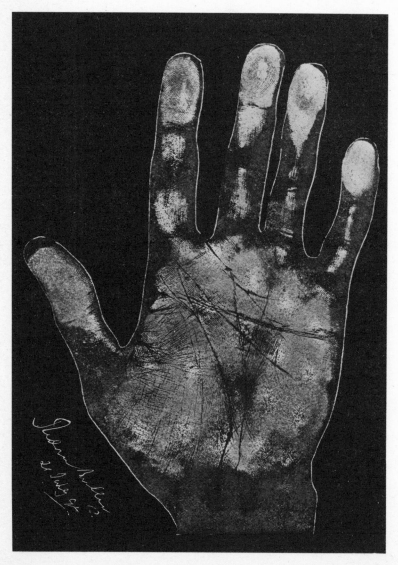

Exemple 2

Cette main-ci, d'après la classification en sept points de Carus, constitue le type même de la "main carrée" (voir chapitre 2). Celle-ci est censée indiquer une nature pratique et persévérante, des habitudes ordonnées ainsi qu'une ténacité proche de l'obstination, jointe à un manque d'imagination et peu de tendances à l'originalité.

D'après la classification moderne par éléments, cette main est du type de la main de Terre. Son possesseur, même féminin, devrait avoir des traits nettement masculins et faire carrière dans un environnement typiquement masculin. Mais cette main n'est pas *absolument* une main de Terre; sa structure présente des éléments qui l'apparentent à la main de Feu. Aussi faut-il s'attendre à un type psychologique extraverti. Devrait aussi figurer un manque d'équilibre émotionnel pouvant conduire à des actions irréfléchies.

D'après la classification en huit points (voir chapitre 6), cette main se rapproche de très près de la main du Soleil — remarquez les doigts noueux, le doigt du Soleil plus long que celui de Jupiter et presque aussi long que celui de Saturne, notez aussi que la ligne du Soleil est inscrite dans la main. Les sujets dotés d'une main solaire cherchent à dominer les autres, à se trouver au premier plan, bien en vue, et à atteindre la "gloire" dans son sens plein. Ce désir d'être en vue les pousse parfois à en faire trop s'ils estiment qu'ils ne reçoivent pas l'attention ni l'admiration qu'ils méritent; ils se retirent alors dans la bouderie.

En rassemblant les trois classifications et leurs indications qui s'éclairent mutuellement, on obtient un portrait composite du sujet.

Ce portrait dénote une personnalité extravertie, avide de gloire et d'admiration. Le sujet doit être plus que désireux de dominer les autres, tenace jusqu'à l'acharnement dans ses ambitions, à la recherche d'une carrière dans un domaine typiquement masculin, prêt à suivre ses impulsions et à se réfugier ensuite dans la morosité si l'on contrarie ses désirs. On peut encore déduire autre chose de l'aspect de sa main : le doigt de Mercure, très noueux, presque déformé, indique que le sujet montre peu de dispositions pour l'expression verbale. L'art oratoire ne devrait jamais l'aider à sortir de ses difficultés.

Les lignes de la paume concordent parfaitement avec les indications données par l'aspect et la forme de la main, ainsi qu'on vient de le voir.

Notons d'abord que la main présente cette très rare conformation : une double ligne de tête. C'est l'indication certaine d'une personne intelligente dont le profil psychologique offre deux faces distinctes : la première, chaude et amoureuse, la seconde, froide, arrogante et égoïste. L'une des lignes de tête traverse la paume le long de la ligne de cœur : c'est cette ligne qui donne la chaleur au caractère. L'autre commence sur le mont de Jupiter et traverse la paume obliquement.

C'est cette ligne qui révèle une ambition froidement calculatrice.

Les lignes de destinée et de Soleil sont fortes et bien marquées mais une faiblesse très nette — quelque échec dans la vie — est indiquée là où la ligne coupe la ligne du Soleil en direction de Saturne. Le fait que les lignes de tête et de cœur traversent la paume parallèlement ne constitue pas, au total, une indication favorable ; cela montre en général un caractère à sens unique, totalement convaincu de son bon droit, et peu disposé ou incapable de suivre les avis émis par d'autres. La vie du sujet auquel appartient cette main confirme l'exactitude du portrait psychologique présenté par la forme et par les lignes de sa main. Il s'agit de Sir Redvers Buller (1839-1908). Son ambition, son désir de gloire et de commander à des masses de gens, sa vocation pour une carrière essentiellement masculine en firent un soldat. Il fut brave — il reçut la Victoria Cross en 1879 — mais obstiné, convaincu de la justesse de ses idées et opposé à toute forme de pensée originale. Comme tel, il se révéla un commandant désastreux durant la guerre des Boers, s'en tenant strictement au règlement et incapable d'adopter les méthodes nouvelles imposées par les actions de guérilla qu'il rencontra. En fin de compte, il fut responsable de toute une série de désastres.

Il fut finalement renvoyé en Grande-Bretagne, où il prit le commandement des troupes d'Aldershot. Le maintien dans cette fonction d'un homme dont l'obstination avait conduit à tant de catastrophes souleva l'indignation des politiciens et de la presse. Au lieu de rester tranquille et de laisser passer l'orage, il choisit de faire un discours pour présenter sa défense. Le discours fut un désastre (rappelons qu'il avait le doigt de Mercure déformé) ; il se montra si cassant, si arrogant, si critique à l'égard des supérieurs qui ne partageaient pas ses idées qu'accusé de manquement grave à la discipline, il fut mis à la retraite avec demi-solde. Il mourut, solitaire, arrogant et amer, en 1908.

Exemple 3

Du point de vue de la classification "élémentaire" en quatre points (voir chapitre 2), cet exemple est très curieux : c'est un mélange des types d'Eau et de Feu, de caractéristiques masculines et féminines. Ainsi, alors que les lignes fortement marquées sur la paume, la paume longue et les doigts courts sont typiques de la main de Feu, le fin réseau de lignes ténues sur les monts de Vénus et de la Lune (et, à un degré moindre, sur le mont de Mars positif) sont plus caractéristiques de la main d'Eau. Que peut-on attendre de ce mélange ? Le résultat le plus probable devrait être un individu sensible, sujet à des sautes d'humeur sauvages et apparemment sans motif. Tantôt l'humeur du sujet ressortira plus au type d'Eau, réceptif et reflétant l'environnement, tantôt elle appartiendra plus au type de Feu, le comportement du sujet se révélant extraverti, créateur, affichant de violentes sympathies et antipathies pour les gens et les situations.

Un même mélange de caractères contradictoires apparaît à la lecture de la main d'après la classification "astrologique" en huit points (voir chapitre 6). Certaines conformations de la main la font ranger parmi les mains solaires, notamment le fait que les doigts sont plus courts que la paume et que le doigt du Soleil est très bien développé et aussi long que le doigt de Jupiter. Il est clair, cependant, que cette main n'est pas exclusivement solaire : *elle ne comporte pas de ligne du Soleil*. Par ailleurs, les indications sont là qui constituent les marques d'une main nettement vénusienne : la proéminence du mont de Vénus, couvert, de plus, des "rayons" typiquement vénusiens — ces lignes si fines mais si distinctes.

Ce mélange de caractéristiques indique une personnalité présentant autant d'aspects contradictoires qu'en révèle la classification "élémentaire". D'un côté, les caractères solaires dénotent un sujet avide de succès et d'accla-

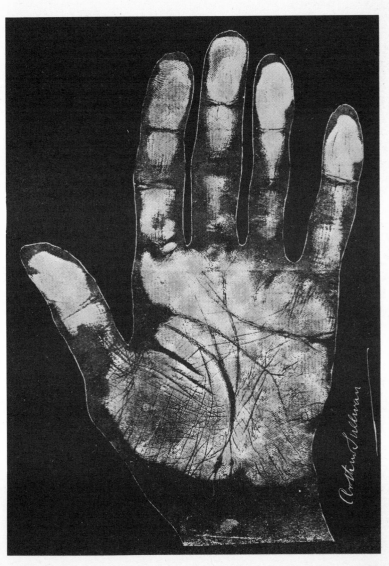

Exemple 3 : la main de Sir Arthur Sullivan.

mations publiques et qui, probablement, les obtiendra — mais pas dans le domaine souhaité (rappelons l'absence de la ligne du Soleil). les caractères vénusiens indiquent une personne assoiffée d'amitié et de camaraderie, désireuse de vivre dans un cadre magnifique et enrichissant, pour laquelle les arts, la peinture, peut-être, ou la musique, revêtent une grande importance. Si l'on accorde ces caractères avec les éléments solaires de la main, il sera sans doute évident que c'est dans l'art que le succès et la gloire seront recherchés.

L'examen des lignes de la main tend à confirmer l'analyse ci-dessus. La ligne de tête s'incurve fortement vers le mont de la Lune, indiquant une imagination puissante et suggérant que la forme d'art révélée par les caractères vénusiens fait appel à l'imagination. La ligne de destinée, notons-le, oblique nettement vers le mont de Vénus. Cette conformation, il faut le rappeler, non seulement accentue les éléments vénusiens de la main mais dénote que la jeunesse du sujet a été contrariée d'un manière ou d'une autre par de proches parents.

Autre point digne d'intérêt : il y a deux lignes de destinée, l'une qui prend naissance près du début de la ligne de vie, l'autre en son milieu. L'une meurt vers le milieu de la main, l'autre continue jusqu'au mont de Jupiter. Cette double ligne de destinée (et le fait qu'une seule se termine de façon satisfaisante) est le signe de la célébrité, non pas tant celle qui est désirée, mais celle, peut-être, qui ressortit à la ligne de destinée qui se termine mal.

Cette empreinte est, en fait, celle de la main de Sir Arthur Sullivan, le musicien qui conquit la gloire grâce aux célèbres opérettes signées Gilbert et Sullivan. La vie et le caractère de Sullivan concordent remarquablement bien avec le portrait tracé en se fondant sur la lecture de sa main. Il était né dans une famille de musiciens — son père était chef d'orchestre et sa mère cantatrice amateur — mais son père perdit sa place lorsqu'Arthur Sullivan n'avait que quatorze ans. Durant de nombreuses années, le jeune compositeur dut subvenir financièrement à l'entretien de ses parents. Sullivan était très amical, soucieux de ceux qui lui étaient proches. Il était toujours entouré d'une cour d'admirateurs et réagissait durement à tout ce qu'il considérait comme inamical — tous traits typiquement vénusiens.

Sullivan conquit la gloire comme compositeur — les œuvres qu'il écrivit avec W.S. Gilbert furent sans conteste les œuvres musicales anglaises les plus populaires de tous les temps — mais pas la gloire qu'il souhaitait. Il voulait être pris au sérieux comme compositeur de musique classique et il désirait ardemment être reconnu comme tel, mais toute sa musique sérieuse, son grand opéra *Ivanhoé* par exemple, fut un échec relatif. Les acclamations du public n'allèrent jamais au compositeur sérieux qu'il aurait tant voulu être. Au lieu de cela, il devint célèbre comme compositeur d'opérettes, une forme musicale qu'il méprisait furieusement et considérait comme tout à fait indigne de son génie. L'échec de sa vraie ambition, combiné à la gloire qu'il devait à une forme musicale qu'il méprisait, justifie amplement les deux lignes de destinée, dont l'une s'estompe, et les nombreux caractères solaires en l'absence même de la ligne du Soleil.

Exemple 4

Selon la classification "élémentaire", cette main se rapproche de très près de la main d'Eau : la structure est délicate, la paume et les doigts sont longs et couverts d'un fin réseau de lignes. Ce type de main, on s'en souviendra, a déjà été étudié ; en ce qui la concerne, les mots clés sont "sensibilité" et "réceptivité" et l'on s'attend, dès lors, à trouver un profil psychologique quelque peu féminin, que cela coïncide ou non avec la réalité biologique.

La main est douce — aucune trace de callosités sur l'empreinte — et les lignes sont nombreuses mais un peu molles et indistinctes. La ligne de destinée naît sur le mont de la Lune. Cette main est, incontestablement, du type lunaire, si on la considère d'après la classification "astrologique" en huit points étudiée au chapitre 8.

Le type lunaire indique une personnalité aventureuse et friande de changements, portée à faire un usage actif de son imagination et des pouvoirs de l'inconscient. Les sujets dotés de ce type de main, rappelons-le, sont parfois attirés par les affaires psychiques ; nombre d'entre eux manifestent une tendance à être clairvoyants ou doués d'une forme quelconque de pouvoir médiumnique et s'intéressent généralement à l'occultisme. La personnalité lunaire est attirante et appréciée, en partie parce que les sujets de ce type aiment véritablement les autres, en partie parce qu'ils renvoient l'image de ceux qu'ils rencontrent — un moyen sûr de s'attirer la sympathie. Le principal défaut de ce caractère est un goût trop prononcé pour le changement, joint à une tendance à adopter tour à tour les idées et les lignes de conduite les plus fantaisistes.

Les lignes de cette main sont particulièrement intéressantes et confirment assez bien le diagnostic de la classification en huit points. Leur caractéristique la plus visible est la double ligne de tête. L'une de ces lignes de tête, partant du mont de Jupiter et courant presque en ligne droite à travers la paume, indique un caractère tout à fait extraverti, débordant d'assurance, d'ambition et même du désir de dominer les autres.

L'autre ligne de tête, très proche de la première, dénote une psychologie exactement inverse — un individu plutôt timide, imaginatif, capable de faire marche arrière sous la pression d'influences extérieures. On s'attendrait qu'un tel sujet mène une double vie, pas nécessairement dans le mauvais sens du terme ; peut-être sa vie publique et sa vie privée sont-elles complètement différentes, peut-être s'agit-il de deux carrières fortement différenciées ?

En fait, cette main est celle de Cheiro, le chiromancien qui, s'il ne fut pas le meilleur que la terre ait porté, fut certainement le plus largement connu grâce aux milliers de consultations qu'il accorda et aux nombreux livres qu'il écrivit.

La vie aventureuse de Cheiro — il fut correspondant de guerre, chiromancien mondain, puis conférencier — s'accorde à la perfection avec la classification lunaire de sa main. Cette personnalité lunaire n'apparaît pas seulement dans la vie agitée de Cheiro mais également dans les théories farfelues qu'il défendit alors. Ce goût de la théorie lunatique (au sens premier du terme) gâche nombre de ses livres. Dans l'un d'eux, par exemple, il avance cette théorie absurde que les poils du corps humain sont des soupapes de sécurité chargées de libérer le trop-plein d'électricité.

Les indications de la double ligne de tête concordent avec ce qu'on sait de la vie de Cheiro. A l'origine, sa vie publique et sa vie privée étaient très différentes — ceux qui le connaissaient sous le nom de Louis Hamon, bon vivant aimable et plein d'entrain, le connaissaient rarement sous le nom de Cheiro, le chiromancien de la bonne société. Cette dualité apparaissait d'autres manières : tantôt Cheiro pouvait se montrer timide et réservé, auteur de poèmes religieux sentimentaux, tantôt il était totalement extraverti, dominant son auditoire du haut de sa chaire de conférencier.

Exemple 5

Selon la classification "élémentaire" en quatre points, cette main mélange les caractéristiques des mains de Feu et d'Eau. Ainsi, les doigts sont un peu plus courts que la paume oblongue couverte de lignes très nettes — conformations de la main de Feu. Le fin réseau de lignes inscrit sur la paume est, toutefois, plus typique de la main d'Eau.

De cette double nature, on peut déduire que le sujet présente un caractère ardent et extraverti, manifeste une tendance aux brusques sautes d'humeur et une capacité à refléter son entourage.

D'après la classification "astrologique" en huit points, cette main est, dans une certaine mesure, du type solaire : notons la paume plus longue que les doigts et le doigt du Soleil bien formé — deux caractères solaires. Notons aussi, toutefois, que les doigts sont dénués des nodosités caractéristiques de la vraie main solaire et que la masse de rayons sur le mont de Vénus indique que certains aspects de la personnalité appartiennent plus à Vénus qu'au Soleil.

Nous avons déjà rencontré cette combinaison de mains solaire et vénusienne dans l'analyse de celle de Sullivan. Une différence, cependant : cette main-ci possède une ligne du Soleil et, qui plus est, une ligne du Soleil longue et bien marquée. Aussi, dans le cas pré-

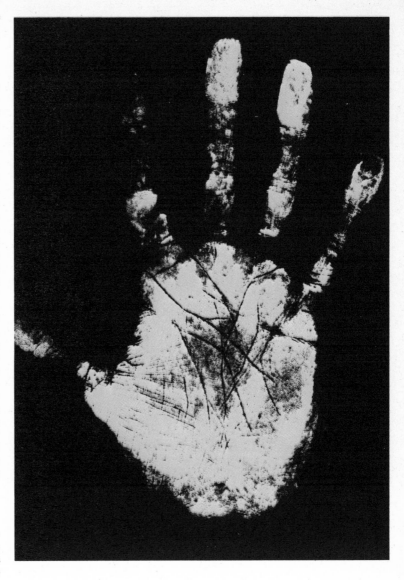

sent, devine-t-on que les caractères solaires dominent et l'on peut tracer le portrait d'un sujet pour lequel les arts comptent au plus haut point, très ambitieux, et sûrement capable de conquérir la gloire tant désirée, sans doute dans le domaine artistique.

Les lignes renforcent le profil psychologique basé sur l'aspect de la main. Les lignes du Soleil et de destinée sont exceptionnellement bien marquées. Elles sont aussi très longues, commençant presque aux bracelets et continuant, parallèles, presque jusqu'à l'extrémité de la paume. Ceci dénote que le succès interviendra très tôt et ne se démentira jamais. La ligne de destinée ne se termine pas sur le mont de Saturne mais très nettement sur le mont de Jupiter, signe que le succès viendra d'un domaine dans lequel le sujet occupera une position très en vue.

La ligne de tête est remarquablement droite, signe de contrôle de soi et de détermination. Ce contrôle de soi est partiellement tempéré par le fait que cette ligne commence assez loin de la ligne de vie : cette conformation

Exemple 4 : la main de Cheiro.

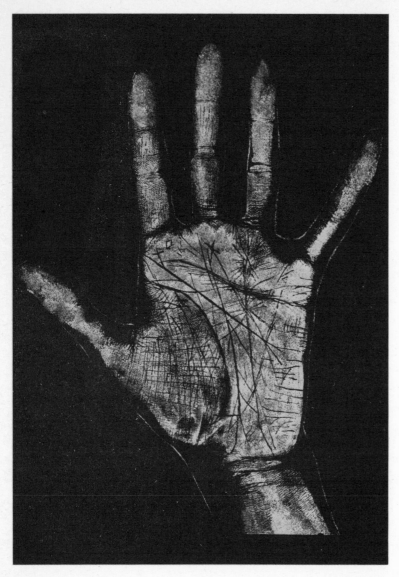

Cette grande main, épaisse et courte, fournit un bon exemple du type de mains conique ou artistique de la classification de Casimir d'Arpentigny (voir chapitre 2). Les sujets qui présente cette variante particulière de la main conique sont censément animés d'un puissant désir de gloire et de fortune. De plus, ils préféreraient la beauté à l'utilitaire et l'imagination à la pensée logique.

Un caractère apparemment contradictoire surgit lorsqu'on place cette main dans l'une des quatre catégories d'éléments, celle de la Terre. Cette catégorisation est fondée sur la forme presque carrée de la paume, les doigts courts, la profondeur et la force des lignes inscrites sur la paume. Cette attribution à la Terre est, à première vue, embarrassante car, alors que la classification d'Arpentigny indique une personnalité ultra-artistique, la possession d'une main de Terre, selon la forme "élémentaire", devrait correspondre à un sujet s'occupant des choses pratiques, admirant les travaux de force et de type manuel. D'après la classification "astrologique" en huit points, cette main est encore une fois une main de Terre. Notons que les points de départ des lignes de tête et de vie sont communs — rappelons que la proximité anormale de ces lignes est l'une des conformations caractéristiques de la main de Terre — et que les lignes de la paume sont bien marquées et comme gravées. Il est clair, pourtant, que ce n'est pas une pure main de Terre : la ligne de tête se dirige non vers le mont de Mercure mais vers celui de la Lune. Si l'on réunit cette main de Terre et les caractères lunaires, on peut esquisser le portrait d'un individu psychologiquement du type de Terre, aimant les choses matérielles et doué de sens pratique, mais bénéficiant en même temps de puissantes facultés d'imagination. Tenter de composer un portrait psychologique du sujet, avec cette main artistique, mais cependant du type de Terre, et au moins un facteur lunaire, est difficile mais pas impossible. Il faut s'attendre à trouver soit un homme pratique doté d'un côté artistique très développé — disons, un maître ébéniste qui fabrique des meubles de toute beauté —, soit un artiste qui a le sens des affaires et conquiert richesse et célébrité grâce à son art. A part le point déjà mentionné concernant la proximité des lignes de tête et de vie, la caractéristique la plus notable de cette main est le développement extrême de la ligne du Soleil. Celle-ci commence près du poignet — signe de gloire précoce — et continue avec vigueur jusqu'à son extrémité, sur le mont du Soleil.

De cette conformation on pourrait attendre, comme on l'a déjà signalé, une célébrité précoce mais aussi que celle-ci ne se démente jamais et que le sujet connaisse l'admiration et soit, professionnellement et socialement, le centre de l'attention.

En résumé, on a là le portrait d'une réussite sociale et financière que le sujet a conquise soit en faisant un art de son métier, soit en

Exemple 5 : la main de la tragédienne française Sarah Bernhardt.

indique une certaine impulsivité, lorsque la maîtrise de soi révélée par la ligne de tête s'efface momentanément.
La ligne de vie est aussi fortement marquée que les autres lignes de cette main fascinante ; il faut observer, de plus, que beaucoup de rayons du mont de Vénus partent de la ligne de vie et s'étendent vers le haut. C'est l'indication précise de grandes dépenses d'énergie dans un domaine artistique.
Cette main est celle de Sarah Bernhardt, peut-être la plus grande actrice de tous les temps. Elle commença sa carrière théâtrale à l'âge de seize ans — rappelons que le début des lignes de destinée et du Soleil est très proche du poignet — et, dix ans plus tard, elle était célèbre dans toute l'Europe. La gloire ne la quitta plus jusqu'à sa mort, plus de cinquante ans après, et, même dans son grand âge, elle conserva la faculté de jeter toute son énergie dans ses rôles tragiques.
Tout ce que l'on sait de sa vie corrobore point par point les conclusions tirées de l'étude de sa paume.

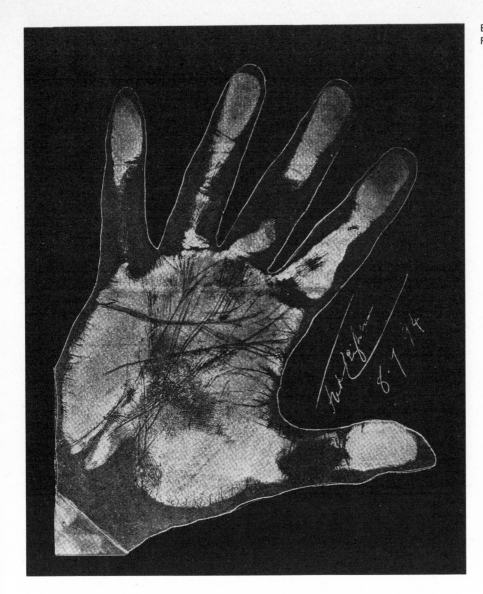

Exemple 6 : la main du peintre
Frederick Leighton.

faisant un métier de son art. En réalité, cette dernière interprétation est la bonne. La main appartient au peintre académique victorien Frederick Leighton dont les œuvres sont encore, comme de son vivant, très en vogue dans le monde des marchands et des galeries d'art. Leighton eut un succès énorme comme peintre, socialement — il fut ennobli — et financièrement, car ses œuvres se vendirent à des prix qui, même aux cours actuels, étaient prodigieux. Il fut également président de la Royal Academy, le sommet de la réussite artistique en Grande-Bretagne.

Exemple 7
D'après la classification en sept points d'Arpentigny — utilisée par la grande majorité des disciples de Cheiro —, cette main est un bel exemple de main psychique, la plus belle et la plus malheureuse des mains. Ses possesseurs (voir chapitre 2) sont tenus pour des idéalistes exaltés et des rêveurs névrotiques.

La classification "élémentaire" en quatre points en fait le parfait exemple de la main d'Eau. Notons le réseau de lignes sur la paume et la longueur extrême, presque anormale, de la paume et des doigts. Les sujets possédant ce type de main sont extrêmement sensibles, enclins à de brusques sautes d'humeur et, comme l'eau, toujours changeants, tantôt profonds, tantôt superficiels.
La ligne de destinée s'incline nettement vers le mont de la Lune, tout comme la ligne de tête, et l'on remarque une étrange ligne courte sur ce mont, près de la fin de la ligne de tête : tout bien considéré, cette main est du type lunaire selon la classification "élémentaire" en huit points. Le caractère lunaire est sujet à d'imprévisibles changements d'humeur (voir chapitre 8). La Lune régit l'imagination et la main révèle une nature imaginative portée aux rêves éblouissants. Rappelons, de plus, que la personnalité lunaire outre parfois son côté versatile et, dans ce cas, ses sentiments inconstants sont difficiles à supporter.

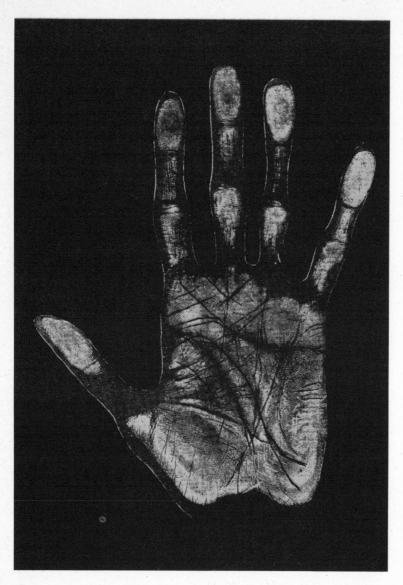

une tâche quelconque. Notons aussi que, de l'anneau de Saturne, surgit une ligne profondément gravée qui coupe les lignes de tête et de vie à leurs débuts. Ce qui signifie que quelque chose, dans la vie du sujet, va tourner très mal, surtout du point de vue psychologique, à un âge relativement jeune.

Notons, pour finir, la courbe tout à fait inhabituelle, déjà mentionnée, que suit la ligne de tête, passant d'abord sous, puis sur la base du mont de la Lune. Cette conformation dénote traditionnellement une tendance à la névrose grave, voire à la folie. En fait, cette main est celle d'une jeune fille qui manifesta des tendances suicidaires dès l'âge de dix-huit ans, tenta plusieurs fois de se tuer, et se suicida à vingt-huit ans.

Exemple 8

Selon la classification en sept points d'Arpentigny, cette main est très proche de la main carrée. On attend un sujet capable de raisonnements clairs et logiques, doué d'un esprit pratique, ordonné et systématique, et faisant preuve de "cran" et de ténacité. Note moins plaisante, le sujet pourrait avoir un sens de la logique si développé qu'il mépriserait les choses de l'imagination.

Selon la classification "astrologique" en huit points, cette main montre un mélange de caractéristiques "planétaires", mais est surtout solaire. A cet égard, il faut noter que le doigt du Soleil est long et que les doigts sont assez noueux. La présence de la ligne du Soleil est intéressante, ainsi que la caractéristique majeure de cette main sur laquelle on ne trouve guère de lignes. Nous avons déjà traité de la main solaire dans d'autres exemples ; il suffit donc de dire que les clés de son interprétation sont l'ambition, l'énergie, le travail acharné et le besoin d'admiration.

Selon la typologie "élémentaire" en quatre points, cette main présente certains éléments de Feu — suffisamment, sans doute, pour compenser le manque d'imagination indiqué par la forme carrée de la main dans la classification de d'Arpentigny — mais appartient plutôt au type de Terre. Notons la structure massive de la main, la paume carrée, les doigts relativement courts, et surtout que, s'il y a peu de lignes sur la paume, elles sont fortement marquées. Cette main indique un caractère essentiellement masculin.

Les possesseurs d'une main de Terre sont normalement honnêtes, acharnés au travail, très pratiques et tournés vers la matière. Ces indications s'accordent remarquablement avec les conclusions de la classification en sept points données plus haut.

En somme, c'est le portrait d'un travailleur acharné, tenace, ambitieux, productif dont le profil psychologique est plutôt masculin.

Les lignes de la main n'ont rien de remarquable, sauf une courte ligne partant de la ligne de destinée en direction du mont du Soleil et coupée net par une ligne issue de la plaine de Mars et dirigée vers le même mont. Cette conformation est tenue traditionnellement pour le signe que le sujet courra, à un

Exemple 7 : la main d'une jeune suicidée.

Jusqu'ici, les trois méthodes de classification, combinant prudemment toutes les indications, laissent deviner que le sujet n'est pas parfaitement heureux. La main psychique est particulièrement malheureuse et ceci porte à croire que c'est le côté sombre des mains d'Eau et de la Lune, plutôt que leurs faces lumineuses, qui va venir au premier plan. On devine une personne malheureuse, sujette à de violentes sautes d'humeur, dont il est difficile, pour elle comme pour les autres, de comprendre les sentiments inconstants.

Ce portrait fantôme est rendu plus sombre encore par l'examen de la paume. A la base du doigt de Saturne figurent deux lignes courbes qui se rejoignent pour former un anneau de Saturne grossier mais sans doute puissant. Ceci est traditionnellement tenu pour une conformation extrêmement défavorable (voir chapitre 5). On estime qu'elle révèle un manque de succès dans la vie ; la manière dont cet anneau isole le mont de Saturne du reste de la main indique que le sujet sera rarement capable de mener à bien

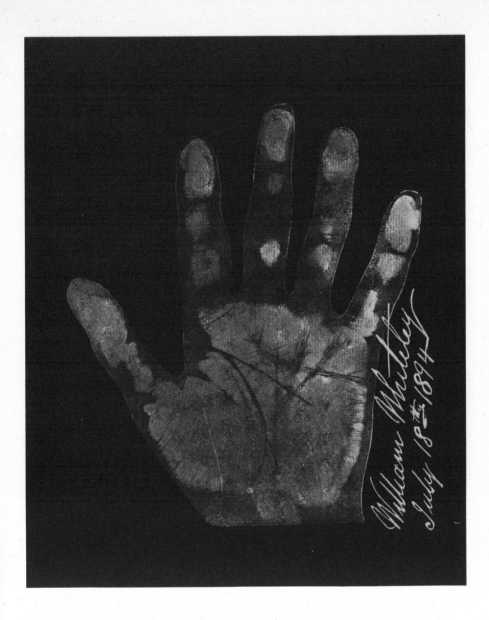

moment donné, un grand danger ; peut-être même sera-t-il en danger de mort violente. Cette main est celle de William Whiteley, fondateur de l'un des plus célèbres grands magasins londoniens. Il bâtit son empire commercial sur son sens pratique, son travail et sa ténacité. Il mourut de mort violente : abattu par son fils naturel, un déséquilibré, aigri de surcroît.

Exemple 8 : la main de William Whitely.

12
La chiromancie chinoise

Nous vivons aujourd'hui une époque où les échanges et les liens entre les diverses cultures du monde se renforcent. Il est passé le temps où, comme voici un siècle, l'Occident s'attachait presque exclusivement aux choses matérielles et méprisait totalement les grands systèmes philosophiques et religieux et les textes de l'Orient. A présent, les Occidentaux étudient le yoga et les écrits hindous et bouddhiques tandis que les Orientaux, s'ils ne négligent pas cet aspect de la vie, se consacrent de plus en plus à l'industrialisation. Aucun livre oriental traitant d'occultisme ou de religion n'influence, aujourd'hui, plus profondément les Occidentaux — surtout les jeunes — que le *I Ching,* l'antique *Traité du changement* chinois. Ce livre, qui passionna le grand psychologue C.G. Jung, est régulièrement consulté par des centaines de milliers d'Européens et d'Américains. Le *I Ching* expose en détails les méthodes, impliquant soit la manipulation de faisceaux de bâtonnets, soit un jeu de pile ou face, permettant d'obtenir des réponses aux questions ou des conseils concernant la conduite personnelle. Le conseil donné par le livre est basé sur l'hexagramme — combinaison divinatoire formée par la superposition de deux trigrammes formés chacun de trois lignes entières ou brisées — auquel on est arrivé par la manipulation des bâtonnets ou le jeu de pile ou face. Ces soixante-quatre combinaisons sont composées par l'arrangement par paires des huit trigrammes. Ceux-ci remontent à la plus haute antiquité et sont largement antérieurs au *I Ching* lui-même ; ils se présentent ainsi :

☷	☶	☵	☴
4	3	2	1

☳	☲	☱	☰
8	7	6	5

De droite à gauche, la translittération du nom de ces symboles est la suivante :
(1) Ch'ien (2) Tui (3) Li (4) Chen (5) Sun (6) K'an (7) Ken (8) K'un.
Les huit trigrammes constituent le fondement de la chiromancie chinoise, un art très différent par ses règles et ses interprétations de la chiromancie occidentale et qui, cependant, donne, assez curieusement, des explications généralement compatibles avec celles auxquelles on parvient par les techniques occidentales.
Les parties de la main sont classées en huit Palais et se réfèrent aux trigrammes de la manière suivante :
- Le Palais du Ch'ien correspond à la moitié inférieure du mont de la Lune et son développement, ou son manque de développement,

est une indication de la présence ou de l'absence de force spirituelle dans le profil psychologique du sujet. Il est intéressant de noter que Ch'ien signifie littéralement "Ciel" (l'influence protectrice, spirituelle).
- Le Palais du Tui est situé sur la moitié supérieure du mont de la Lune. Le mot "Tui" peut être traduit par "agréable et joyeux" ; selon le développement de ce Palais, les chiromanciens chinois estiment jusqu'à quel point le sujet retirera de la joie de son partenaire sexuel et de ses enfants. Ce Palais est aussi considéré comme le siège de la puissance des pulsions sexuelles et, comme l'imagination

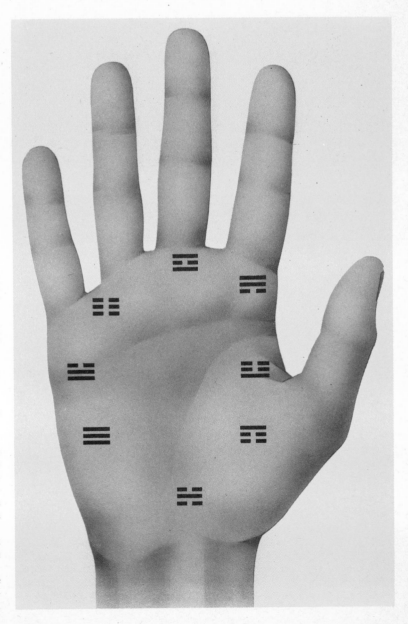

La chiromancie chinoise

(Page suivante) Page d'un manuscrit daté de 1466, indiquant la signification des différentes parties de la main.

joue un grand rôle dans ce domaine, il correspond de manière intéressante à l'attribution occidentale des pouvoirs de l'imagination au mont de la Lune.

- Le Palais du Li, qui signifie "beau", "dépendant" et "affectueux", correspond, en gros, au mont de Saturne. Les chiromanciens chinois devinent la situation sociale et financière du sujet et le degré de réussite dans la carrière choisie d'après le développement de ce Palais.

- Le Palais du Ch'en, qui veut dire littéralement "tonnerre" mais qui, pour les Chinois taoïstes, est porteur des concepts d'action, d'éveil et de mouvement, coïncide avec la partie supérieure du mont de Vénus. D'après son développement, on peut juger de la vitalité physique et émotionnelle du sujet en ce qui concerne le travail et la vie sexuelle.

- Le Palais du Sun, qui signifie littéralement "vent" mais comporte les idées de douceur et, paradoxalement, d'aptitude à percer autre chose, coïncide avec le mont de Jupiter. La combinaison de la douceur et de la capacité de transpercer s'explique par le mot "vent" : de la même manière que le vent possède le pouvoir physique d'être tantôt doux, tantôt coupant, tout en poursuivant immuablement sa route, Sun représente ces qualités dans un sens psychologique. D'après le développement du Sun, on peut déduire les capacités intellectuelles et la puissance de raisonnement logique (qualité pénétrante) du sujet.

- Le Palais du K'an — littéralement "eau" mais aussi idées d'enveloppement et de danger, caractéristiques des grandes masses d'eau — est situé entre le bas du mont de la Lune et la ligne de vie. Cette zone est sensée régir les difficultés de la vie, surtout celles qui résultent de l'héridité ou de la prime enfance. Les chiromanciens chinois estiment le nombre de problèmes que le sujet a rencontrés ou

rencontrera d'après le développement de cette zone.

- Le Palais du Ken correspond plus ou moins à la partie inférieure du mont de Vénus. Littéralement, le mot "Ken" signifie "montagne" et les idées dont il est porteur sont celles qui sont associées aux montagnes éternelles : l'immuabilité, l'obstination et, jusqu'à un certain point, une façon perverse d'agir au mépris des pensées et des actions d'autrui. D'après son développement, les chiromanciens chinois déterminent à quel degré le sujet possède ces qualités.

- Le Palais du K'un signifie littéralement le "Palais de la Terre" et ce dernier élément reçoit des qualités féminines chez les Chinois taoïstes. Le mot "K'un", dès lors, est porteur de ce que les Chinois tiennent pour des qualités essentiellement féminines : la passivité, la réceptivité et la plasticité. Sur la main, le Palais du K'un est associé à la zone située sous les doigts du Soleil et de Mercure. D'après son développement, les chiromanciens chinois établissent la quantité d'éléments féminins présents dans la psychologie du sujet et la mettent en corrélation avec leurs autres interprétations.

En plus des huit Palais, il existe d'autres zones de la paume qui ont une signification dans la chiromancie chinoise. Ce sont T'ien, qui coïncide presque exactement avec le milieu du mont de Vénus, et Ming Tang, qui correspond à la plaine de Mars. Le développement du premier de ces endroits est sensé dénoter l'ampleur de la réussite purement matérielle — particulièrement l'acquisition de propriétés — que le sujet connaîtra durant sa vie. Le développement de la seconde région sert à estimer à la fois une bonne fortune, dans le sens le plus large du terme, et la respectabilité et le sens de l'auto-discipline du sujet.

Bibliographie sommaire

Casimir d'Arpentigny, *La Chirognomie*, France, 1843

Cheiro, *Le Langage de la main* (*The Language of the Hand*, nombreuses éditions, p. ex. Corgi Books, Londres, 1968)

A. Desbarolles, *Les Mystères de la main*, nombreuses éditions depuis 1859

Henry Frith, *La Chiromancie pratique* (*Practical Palmistry*, Ward Lock)

Fred Gettings, *Le Livre de la Main* (*The Book of the Hand*, Hamlyn, 1965)
    Le Livre de la Chiromancie (*The Book of Palmistry*, Hamlyn, 1974)

Mir Bashir, *L'Art de l'Analyse des mains* (*The Art of Hand Analysis*, Muller, 1973)

Jo Sheridan, *Ce que vos mains révèlent* (*What Your Hands Reveal*, Mayflower, 1972)

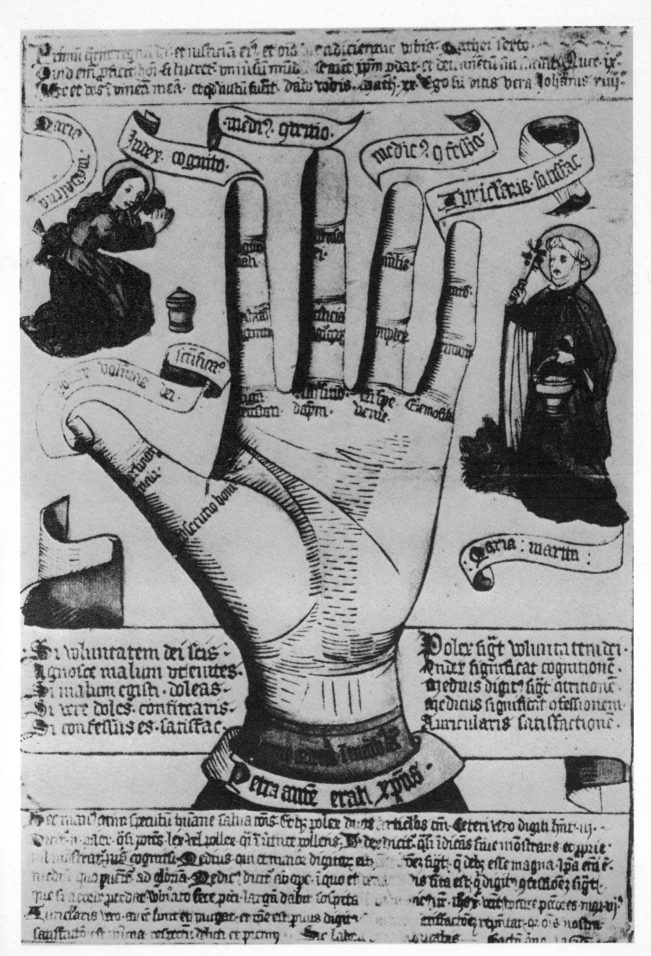